Egy

120th
anniversary
Berlitz

- Un ☞ dans la marge indique un site ou monument que nous vous recommandons tout particulièrement
- Les informations pratiques, classées de A à Z, commencent à la page 101
- Pour un repérage facile, des cartes claires et détaillées figurent sur la couverture de ce guide

Berlitz Publishing Company, Inc.

Princeton   Mexico City   Dublin   Eschborn   Singapour

Texte:	Jack Altman
Adaptation française:	Jean-Claude Reisser
Rédaction:	Olivier Fleuraud, Delphine Verroest
Photographie:	Pete Bennett
Maquette:	Media Content Marketing, Inc.
Cartographie:	Falk-Verlag, Munich

Nous remercions Amin Atwa, Nahed Rizk, et leurs collègues à l'Office égyptien du tourisme, et Mohamed Salem Ragaa Younes et ses
collègues à Misr Travel pour leur précieuse collaboration lors de la
préparation de ce guide.

*Bien que l'exactitude des informations présentées dans ce guide
ait été soigneusement vérifiée, elle n'en est pas moins subordon-
née aux fluctuations temporelles. N'hésitez pas à nous faire part
de vos corrections ou de vos suggestions.*

ISBN 2-8315-6457-3
Edition révisée en 1998 – 1re impression juin 1998

Imprimé en Italie
019/806 REV

SOMMAIRE

EGYPTE

L'EGYPTE ET
LES EGYPTIENS

Telle une oasis au milieu du désert, défiant les terres saha-
riennes incultes et brûlantes, le Nil est à la fois le rescapé
et le miracle éternel de l'Egypte. Ses eaux, jaillissant des
profondeurs de l'Afrique, charrient avec elles un limon fertile qui a donné naissance, il y a 5000 ans, à l'une des plus
grandioses civilisations du monde. L'Egypte est bien un
«don du Nil» (Hérodote).

Ce fleuve, vénéré depuis toujours des Egyptiens, trouve sa
pleine majesté à Assouan. Un énorme barrage, au sud de la
ville, contient la puissance de ses eaux, apportant vie et pro-
vidence à toute une nation. Sur plus de 1000 km, d'Abou-
Simbel au Caire, ses rives abritent des bandes de terre
irriguées et cultivées. Un ciel limpide et l'ardeur du soleil
permettent jusqu'à deux récoltes par an.

Les premiers Egyptiens édifièrent des temples en l'honneur
de ce dieu-soleil, qu'ils baptisèrent Rê, puissant allié du dieu
du fleuve. Et comme leurs ancêtres avant eux, les Egyptiens
d'aujourd'hui vivent toujours au bord du Nil, cultivant la terre
ou produisant des objets artisanaux vendus dans les souks.

Les descendants directs des Egyptiens adoptèrent le christianisme tel que le leur enseigna saint Marc, et fondèrent
l'Eglise copte, l'une des plus anciennes communautés de la
chrétienté qui, aujourd'hui encore, joue un rôle significatif
dans les affaires du pays. On trouve des églises coptes dans
la majorité des villes d'Egypte et certains fidèles sont connus
sur le plan international, tel Boutros Ghali, l'ancien Secrétai-
re général des Nations Unies.

Tel qu'il était représenté dans les anciens temples, le fier
profil des pharaons, des princesses, des soldats et artisans
s'est perpétué jusqu'à nos jours dans les rues du Caire, de

Louxor ou d'Assouan, mêlé aux traits des plus proches descendants des nombreux envahisseurs. Entre 1100 et 332 av. J.-C., arrivèrent Noirs de Nubie, Perses et Libyens. Vers le VIIe siècle, les Arabes y introduisirent leur langue et religion. Plus tard, les Mamelouks et les Turcs y apportèrent la richesse de leurs coutumes et leur cuisine.

L'Egypte exerce depuis toujours une irrésistible fascination sur le visiteur, et il n'est pas difficile d'en comprendre la raison. Les pyramides, les palmiers, le Nil, le désert, le Sphinx sont autant d'éléments suffisants pour que chacun rêve d'accomplir, une fois au moins dans sa vie, un voyage en ce pays. N'oublions pas aussi les stations balnéaires de la mer Rouge et de la Méditerranée. Mais il suffit que l'on gratte un peu la surface d'une pyramide pour trouver la véritable gloire de l'Egypte: l'histoire de sa civilisation antique, d'une inestimable valeur. Archéologues, historiens, théologiens, philosophes, mystiques et charlatans sont encore irrésistiblement attirés par ses mystères.

Devant les quatre statues monumentales du temple de Ramsès II, à Abou-Simbel, comment ne pas éprouver de respect pour la civilisation qui reconnaissait à Pharaon un statut divin?

C'est en parcourant les temples sacrés de Louxor, de Karnak et l'étrange cité des morts à Thèbes que l'on comprendra à quel point les premiers Egyptiens prenaient leur religion au sérieux.

Ailleurs, les mêmes noms reviendront sans cesse. Ils

Le travail opiniâtre de l'albâtre est une des grandes fiertés nationales.

Même si l'Egypte s'est considérablement modernisée, le transport à dos de mule domine dans les campagnes.

composent la mosaïque colorée de la vie égyptienne: Memphis, Horus, Toutankhamon, Antoine et Cléopâtre, El-Alamein, Alexandrie, le canal de Suez. Mais, à l'instar de la pierre de Rosette qui a fourni la clé des hiéroglyphes, Le Caire est, incontestablement, la clé de l'Egypte moderne.

A l'échelle de la vie éternelle du fleuve, la ville, âgée d'un millénaire à peine, n'est pas si ancienne que cela. A l'ombre des pyramides de Guizèh, les Cairotes ont érigé d'innombrables monuments à la gloire de l'islam, faisant ainsi de leur ville un haut lieu de la civilisation arabe. Et en effet, de par le monde, les musulmans considèrent Le Caire comme le trésor artistique, architectural et culturel du monde islamique.

Capitale la plus peuplée des nations arabes, Le Caire se trouve aujourd'hui confronté à des problèmes de plus en plus pressants. Sa population croît au rythme incroyable de 4000 nouveaux-nés par jour; le tremblement de terre du 12 octobre 1992, qui dévasta les plus vieux quartiers, n'a fait qu'accentuer le problème.

Nombreux sont ceux qui transforment, à l'est de la ville, de vieilles tombes médiévales en habitations. Des armées de piétons et des légions de voitures se pressent dans les rues, soulevant une couche de fine poussière de sable que les pluies, brèves et rares, ne parviennent jamais à emporter. La ville est probablement la plus bruyante du monde.

Les Cairotes, cependant, habitués à une vie difficile, sont confiants en l'avenir et gardent le sourire. Le gouvernement ne manque pas de programmes qui devraient projeter le pays dans le XXIe siècle. Et si les plans s'enlisent dans la paperasserie de l'administration, on ne désespère pas pour autant!

Le Caire, vu de la Citadelle de Saladin: un panorama de grès ocre, qui mêle l'ancien et le moderne.

UN PEU D'HISTOIRE

La fertile vallée du Nil aida les premiers Egyptiens à sortir de l'âge de la Pierre, abandonnant progressivement la chasse pour une existence plus centrée sur l'agriculture. Vers 8000 av. J.-C., ils élevaient du bétail et cultivaient le blé et l'orge qu'ils avaient importés d'Asie et, en échange, ils exportaient poteries, céramiques et joyaux. Ils développèrent un système complexe de signes hiéroglyphiques, proches de l'écriture cunéiforme. En inventant le papyrus, fait de tiges de jonc du Nil, ils purent laisser une trace écrite de leur histoire qui nous fut ainsi révélée.

L'Ancien et le Moyen Empire

Ménès (Ire dynastie, 3000 av. J.-C.), qui réunit la Haute (au sud) et la Basse-Egypte (au nord), fut le premier roi à porter la double couronne, symbole des deux royaumes. Memphis, au sud du Caire, était sa capitale. L'unité assura richesse, puissance et progrès à l'Egypte; quelque deux siècles plus tard, l'Ancien Empire (2780-2250) était établi avec, à sa tête, le roi Djozer (IIIe dynastie). Celui-ci fit ériger la pyramide à degrés de Saqqarah (voir p. 41), inaugurant ainsi l'ère des grandes pyramides.

Après 200 ans, les mathématiques et l'organisation de la main-d'œuvre étaient si avancées que Chéops et son fils Chéphren purent fairent construire les pyramides colossales et le Sphinx gigantesque de Guizèh (voir p. 37). Couronnant cette étonnante réalisation humaine d'un halo de divinité, les pharaons de la Ve dynastie (2440-2315) se proclamèrent fils de Rê, le grand dieu-soleil. Mais se proclamer dieu et en être un sont choses différentes, et, au fil des temps, l'autorité royale déclina jusqu'à ce que la guerre civile mît un terme à l'Ancien Empire, vers l'an 2250 av. J.-C.

Le Moyen Empire dura de 2000 à 1570, quatre siècles au cours desquels l'Egypte rétablit sa richesse et sa puissance.

Les pharaons étaient les souverains au sommet d'un système féodal et des nobles puissants contrôlaient les provinces (nomes) du royaume. Avec l'appui de ses vassaux, le
roi marcha à la tête de son armée de Thèbes (Louxor), la
nouvelle capitale, jusqu'à la Nubie au sud et jusqu'en Palestine à l'est, conquérant tout sur son passage.

Au fur et à mesure qu'augmentait le patrimoine des conquérants égyptiens, leurs terres étaient convoitées, chaque jour davantage, par des voisins belliqueux. Le peuple Hyksos détenait
une arme secrète: le char de combat. Lorsque, au XVIIe siècle
av. J.-C., ses guerriers traversèrent le Sinaï pour pénétrer dans
le delta fertile, les pharaons furent obligés de se replier sur Thèbes (Louxor, voir p. 51). En signe de triomphe, les Hyksos gra-
vèrent les murs des temples et des tombeaux de représentations
de chevaux et de chars encore visibles aujourd'hui. Pendant un
siècle, les Hyksos régnèrent sur la Basse-Egypte, mais leur
conquête s'arrêta là où les chars ne pouvaient plus avancer: au
début du désert, à la pointe sud du delta.

Le Nouvel Empire

La menace constituée par les Hyksos avait contraint les pharaons à réfléchir sur leur façon de gouverner, et l'expulsion de
l'envahisseur, en 1570 av. J.-C., fut l'occasion d'entreprendre
certaines réformes. Les souverains reprirent le pouvoir aux
grands féodaux pour le concentrer dans leurs propres mains.
Leur but de construire des chars de combat fut bientôt atteint,
augmentant ainsi leur potentiel militaire. L'Egypte devint
rapidement un Etat impérial, parfaitement organisé et disci-
pliné, avide de pouvoir et de nouvelles conquêtes.

Sous le Nouvel Empire (de 1570 à 1100 av. J.-C.), l'ancienne
Egypte atteignit le sommet de sa splendeur. Tandis que les armées des pharaons rapportaient de riches butins et des centaines
d'esclaves d'Afrique et de Syrie, on érigeait temples et tom-

beaux à Louxor (voir p. 51), Karnak (voir p. 56) et Abou-Simbel (voir p. 73). L'incomparable richesse du pays fut en grande partie consacrée à la gloire des rois-dieux qui le gouvernaient.

La XVIIIe dynastie fut l'une des plus grandes. Les trois pharaons nommés Touthmôsis repoussèrent les frontières de l'Empire. Hatshepsout, épouse de Touthmôsis II et belle-mère de Touthmôsis III, régna sur le pays pendant quelques années et se fit construire un fabuleux temple funéraire à Deir el-Bahari (voir p. 62).

Avec Aménophis III (1417-1379), l'Egypte du Nouvel Empire parvint à son apogée. Il contribua à la construction du grand temple d'Amon à Karnak (voir p. 56). Son fils Aménophis IV, se désintéressant de la politique et de la guerre, se laissa gagner par le mysticisme et proclama une religion nouvelle: le culte d'Aton, seul vrai dieu. Aménophis changea son nom propre en Akhenaton (celui qui plaît à Aton) et, avec son épouse la reine Néfertiti, fonda une nouvelle capitale en un lieu appelé aujourd'hui Tell al-Amarna (Moyenne-Egypte). Les puissants prêtres d'Amon, à Thèbes, devinrent cependant ses ennemis implacables.

Lorsqu'il mourut, le pays était en proie au désordre, et son jeune beau-fils Toutankhaton (1361-1351), qui devait ultérieurement transformer son nom en

Le temple de Kom Ombo est unique, car dédié à deux divinités: Horus et le dieu-crocodile.

Toutânkhamon, eut un règne trop bref pour restaurer l'ordre mais suffisamment long pour amasser le seul trésor des pharaons ayant échappé aux pilleurs de tombes.

La XVIIIe dynastie prit fin avec l'usurpation du pouvoir par un militaire énergique et habile, Ramsès I, fondateur de la XIXe dynastie. Son successeur, Séthi, reconquit toutes les possessions extérieures de l'Egypte. C'est sous le long règne de Ramsès II, son successeur (1304-1237 av. J.-C.), que fut érigé le temple d'Abou-Simbel (voir p. 73) et que s'acheva la construction de la salle hypostyle de Karnak (voir p. 57), sans compter les nombreux monuments qui abritaient quantité de statues à son image.

D'une main ferme, le pharaon Ramsès II assujettit les tribus sémites qui avaient troublé l'ordre des provinces orientales. Selon certains historiens, il aurait longtemps exercé un contrôle absolu sur le peuple d'Israël captif, auquel il aurait ultérieurement permis de regagner la terre de ses ancêtres.

Les pharaons de la XXe dynastie maintinrent la grandeur de l'Egypte jusqu'en 1100 av. J.-C. Les dynasties suivantes luttèrent, mais en vain, pour reconquérir la gloire passée. Les invasions étrangères se succédèrent et, en 332 av. J.-C., le dernier pharaon égyptien fut détrôné par les Perses. Le royaume passa alors aux mains des

Ramsès III, le dernier des grands pharaons, fut un guerrier redoutable.

Grecs, et Alexandre le Grand conquit une Egypte qui ne lui opposa guère de résistance.

Domination grecque et romaine

A la mort d'Alexandre, en 323, l'empire hellénistique fut morcelé et ses généraux en prirent le contrôle. Ptolémée, gouverneur d'une Egypte où existaient deux cultures distinctes, se sacra pharaon en 305. Alexandrie, fief du conquérant sur la côte méditerranéenne, devint la ville la plus importante et la plus brillante du monde hellénique. Cependant, l'immense bibliothèque qui faisait la gloire d'Alexandrie devait être de peu de secours contre les légions romaines.

Cléopâtre

On donna le nom de Cléopâtre à de nombreuses princesses ptolémaïques, mais c'est de Cléopâtre VII (69-30 av. J.-C.) que l'on se souvient. Mariée à son jeune frère Ptolémée XII à l'âge de 17 ans, elle devait plus tard le détrôner avec l'aide de César. Elle suivit le conquérant à Rome, abandonnant son second mari – un autre de ses frères – et, par la suite, donna naissance à un fils qu'elle nomma Césarion (Ptolémée XVI).

Peu après après l'assassinat de César, Marc Antoine se présentait en Egypte et succombait lui aussi aux charmes de la reine. Ils se marièrent en l'an 36 av. J.-C. Mais après la défaite à la bataille navale d'Actium, Cléopâtre se fit apporter un panier de figues contenant un serpent qui la mordit mortellement.

Si Cléopâtre semble avoir exercé de puissants attraits sur Jules César et Marc Antoine, les historiens rapportent que cette reine égyptienne ne fut ni d'une beauté frappante, ni d'une grande popularité auprès des Romains qui, quand ils ne la craignaient pas, la méprisaient.

Pendant une période de vingt ans (de 51 à 30 av. J.-C.), la reine Cléopâtre VII usa d'intelligence et de charme envers César d'abord, puis envers le général Marc Antoine, pour préserver la liberté de son pays. Cependant, l'héritier de César, Octave (le futur Auguste), insensible à ses sortilèges, se mit en campagne pour reprendre le contrôle de l'Egypte.

Lorsque Marc Antoine fut défait de façon écrasante à la bataille navale d'Actium (en 31 av. J.-C.), la reine se suicida, emportant avec elle, dans sa tombe, l'Egypte hellénistique. Durant les siècles qui suivirent, le pays ne fut plus qu'une province lointaine de l'Empire romain, gouvernée depuis Rome, puis Constantinople (Istanbul).

L'Empire arabe

La vague d'armées en provenance d'Arabie qui déferla sur l'Egypte au VIIe siècle de notre ère apparaît comme l'un des phénomènes les plus déconcertants de l'histoire. Avant l'époque du prophète Mahomet, les Arabes n'étaient constitués que de quelques dizaines de tribus sémitiques, vivant de dattes, de lait de chameau, et du commerce. Mais avec l'avènement de l'islam («soumission à la volonté de Dieu»), les Arabes entreprirent des conquêtes qui devaient changer la face du monde.

Mahomet, un marchand de La Mecque, aimait à s'isoler dans une grotte de la montagne afin de méditer. Au cours de l'une de ses retraites, en l'an 612, une voix céleste lui ordonna d'écrire et de transmettre une nouvelle religion. Pendant les 20 années qui suivirent, jusqu'à sa mort en 632, Mahomet écrivit les 114 sourates (chapitres) qui forment le Coran, la loi et l'inspiration du monde islamique.

Dans les premières années de l'islam, les croyants constituaient une petite communauté aux liens étroits, dirigée par Mahomet. Mais, au fur et à mesure qu'elle se développait, des armées furent formées et des opérations militaires entreprises. Moins d'un siècle après la disparition du Prophète, les Arabes avaient conquis, outre le Moyen-Orient, la Perse, l'Afrique du Nord, l'Espagne et une partie de la France.

L'Egypte fut l'un des premiers pays à succomber à l'envahisseur arabe, en 639. Le général Amr fit du camp militaire de Fustât la capitale du pays. En trois siècles, l'Egypte devint l'un des centres politiques, militaires et religieux les plus importants de tout l'Empire arabe. Vers 968, la puissante dynastie des Fâtimides, venue du Maghreb, envahit l'Egypte et établit sa capitale à Al-Qâhira, la «cité de la victoire». Pendant cette domination qui dura deux siècles, Le Caire connut l'une des périodes les plus riches de son histoire sur le plan culturel. La très célèbre mosquée-université El-Azhar (voir p. 26) date de cette période; elle reste, aujourd'hui encore, un phare spirituel pour tout le monde islamique, et ses bâtiments rappellent l'apothéose de l'architecture fâtimide.

L'Empire des Fâtimides fut dévasté par les armées de Saladin en 1169. Saladin, célèbre par ses campagnes contre les croisés en Palestine et en Syrie, établit en Egypte sa propre dynastie, celle des Ayyûbides. Ses descendants furent évincés par une nouvelle vague d'usurpateurs, soldats turcs qui, pour la plupart, avaient été les esclaves (*Mamelouks*) des Ayyûbides. En une succession de règnes courts et agités, les Mamelouks assurèrent le pouvoir de 1251 à 1517. Leur puissance s'étendit jusqu'en Syrie et en Palestine. Au Caire, ils construisirent d'innombrables palais et mosquées d'un très grand raffinement.

Les Mamelouks furent renversés lors de la conquête de l'Egypte, en 1517, par les armées efficaces et mobiles des Turcs ottomans. Trois ans plus tard, Soliman le Magnifique montait sur le trône de Constantinople (Istanbul), inaugurant l'ère la plus brillante et la plus puissante de tout l'Empire ottoman.

Ce paisible port de pêcheurs est un petit joyau abrité par l'écrin majestueux de la baie de Qait.

Toutefois, Soliman ne régna pas longtemps, et sa mort marqua l'avènement d'une période de déclin qui allait durer quelque trois siècles et demi. La province égyptienne subit les retombées de cette détérioration du pouvoir ottoman, notamment lorsque les seigneurs mamelouks réclamèrent le rétablissement de leurs anciennes prérogatives au pacha ottoman du Caire. L'Egypte connut, dès lors, une série de crises.

Bonaparte et Méhémet-Ali

Le monde moderne est entré pour la première fois en contact avec l'Egypte lors de la campagne d'Egypte dirigée par le jeune général français Napoléon Bonaparte, lorsqu'il débarqua à Alexandrie en 1798. Si les Français avaient pour objectif essentiel de couper la route des Indes à l'Angleterre (par la mer Rouge), le corps expéditionnaire comptait également un groupe de savants, dont des archéologues. Bonaparte contribua à restaurer l'ordre et la discipline au sein du gouvernement égyptien pendant une brève période. Mais au cours de la décisive bataille d'Aboukir (1798), les Anglais détruisirent la flotte française et trois ans plus tard, les troupes françaises quittaient l'Egypte.

Parmi les troupes ottomanes envoyées pour résister à l'invasion française, se trouvait un jeune officier venu d'Albanie, du nom de Méhémet-Ali. Par la force et la ruse, ce dernier réussit à s'emparer du pouvoir et à se faire nommer pacha d'Egypte. Puis, le 1er mai 1811, il invita tous ses rivaux, les notables Mamelouks, à un banquet à la citadelle du Caire. Chaque fois que les portes se refermaient sur un Mamelouk, à l'intérieur des épaisses murailles, les sbires du nouveau pacha lui coupaient la tête. Cette nuit là mit un terme définitif à la puissance des Mamelouks, présence importante dans la vie politique égyptienne depuis 1251.

Fasciné par les méthodes de Napoléon, Méhémet-Ali entreprit de réformer son armée et de créer une flotte à l'occidentale avec l'appui de conseillers européens. Des mesures destinées à moderniser l'agriculture furent prises; on planta du coton dans les terres nouvellement irriguées. Le pays se mit alors à produire de grandes richesses et bien que le peuple demeurât désespérément pauvre, le pacha devint, lui, fabuleusement riche et puissant. Entre 1832 et 1841, Méhémet-Ali combattit par deux fois son souverain d'Istanbul et réussit presque à s'emparer de la capitale ottomane. Contraint de reconnaître l'indépendance de son ancien vassal, le sultan décréta que les fonctions de pacha d'Egypte seraient héréditaires et remises à la maison de Méhémet-Ali. Par un amendement, le titre de pacha fut ultérieurement remplacé par celui de khédive, qui équivaut presque au titre de roi.

Cependant, les successeurs de Méhémet-Ali ne surent pas déployer l'énergie de leur ancêtre. En 1859, le vice-roi Saïd Pacha donna son accord au projet du canal de Suez, inauguré en 1869 sous le khédive Ismaïl. Mais l'entreprise était financée par des banquiers peu scrupuleux; lorsque le khédive se trouva incapable de rembourser ses dettes, il dut admettre dans son gouvernement des «conseillers» financiers anglais et français. Bientôt, les Anglais contrôlaient politiquement et militairement le pays.

Au XXe siècle

Durant la Première Guerre mondiale, l'Egypte occupait une position stratégique pour les Anglais; Le Caire servit de tremplin à l'offensive alliée, qui arracha la Palestine, la Syrie et l'Arabie à la domination turque. Avant même la chute de l'Empire ottoman, les gouverneurs britanniques déclaraient l'indépendance du khédive vis-à-vis de son souverain turc. Le prince Fouad se donna le titre de roi d'Egypte lorsqu'il monta sur le trône en 1917, mais le contrôle du pays était encore dans des mains étangères.

Après la guerre, les sentiments nationalistes se cristallisèrent au sein du parti Wafd, mené par Saad Zaghloul. Lors des élections libres de 1924, ce parti obtint une large majorité.

La Seconde Guerre mondiale réaffirma l'importance stratégique de l'Egypte. En 1940, l'armée italienne, venue de Libye, pénétrait très en avant dans le pays mais, elle fut repoussée par les troupes britanniques. L'année suivante, le maréchal Rommel et son armée reconquirent le terrain et envahirent rapidement l'Egypte. En 1942, ils furent arrêtés à El-Alamein, à une centaine de kilomètres seulement d'Alexandrie (voir p.45). Vers la fin de l'année, la fortune des armes tourna à l'avantage des Alliés et le pays se retrouva de nouveau aux mains des Anglais.

Farouk était monté sur le trône d'Egypte en 1936. Malgré sa détermination, le roi succomba bientôt à l'atmosphère orientale de ses palais somptueux. Son gouvernement en pâtit, et la défaite militaire en Palestine (1948) fut suivie d'un échec diplomatique lorsque le roi voulut revendiquer le plein contrôle du Soudan et du canal de Suez. Le malaise s'accrut jusqu'à son renversement, en 1952. Un groupe d'officiers, mené par le général Néguib, lui succéda et, peu après, Néguib fut remplacé par le colonel Gamal Abdel Nasser.

La république fut proclamée le 18 juin 1953; Nasser demeura 17 ans au pouvoir. Malgré et grâce à son gouvernement autoritaire, c'est au cours de cette période que l'Egypte retrouva le sens de son identité nationale. Dirigé par un Egyptien, le pays connut un essor rapide et Nasser révisa et modernisa son économie et devint le guide des nations du Tiers-Monde. Le symbole de son effort économique fut la construction du barrage d'Assouan, dont les centrales produisent des quantités d'électricité suffisantes pour subvenir au tiers des besoins du pays.

Lorsque le président Anouar el-Sadate succéda à Nasser en 1970, sa personnalité plus modérée donna au pays le contre-poids dont il avait tant besoin. Cependant, l'énergie et les ressources de l'Egypte avaient été continuellement mises à contribution en raison de guerres périodiques avec Israël (en 1948, 1956, 1967 et 1973). C'est sous Sadate que fut enfin approuvé, en 1979, le traité de paix historique entre l'Egypte et Israël. Contesté par la plupart des dirigeants arabes, Sadate fut assassiné en 1981. La Ligue arabe reconnaissant peu à peu la puissance de l'Egypte dans le monde islamique rouvrit ses quartiers généraux au Caire, en 1990.

Hosni Moubarak préside de nos jours de façon bien moins idéaliste que Nasser et bien moins spectaculaire que Sadate. Cependant, sa politique lui vaut le respect de son peuple et une certaine notoriété sur la scène internationale. Les problèmes subsistent cependant: le niveau de chômage (20%), les enfants travaillant souvent très jeunes (bien que cela soit illégal), une administration lourde et trop souvent corrompue, et une population plus nombreuse de jour en jour. Le tremblement de terre de 1992 (le plus fort jamais enregistré en Egypte) n'a fait qu'aggraver les problèmes. Les quartiers surpeuplés et les règles de sécurité non renforcées sont en grande partie responsables de la mort de 600 personnes et de 10 000 blessés.

Récemment, l'Egypte a été frappé de tragédie lorsque, des groupes d'extrémistes, désireux de déstabiliser le gouvernement, ont lancé des attaques contre la police, les services de sécurité et les touristes. En Novembre 1997, à proximité de Louxor, lors d'un attentat meutrier, 58 touristes ont trouvé la mort. Suite à ces récentes aggressions, les autorités égyptiennes ont intensifié les mesures de sécurité en vue de mieux protéger les touristes.

Conscients de l'importance à la fois des investissements étrangers et de l'apport financier créé par le tourisme, les Egyptiens n'en sont pas moins modérés dans leur façon d'aborder le monde et la vie de tous les jours. Ils savent tirer profit de leur passé et sont fiers d'en porter la glorieuse image.

A lsmaïlia, l'architecture néocoloniale rappelle l'époque de l'occupation britannique.

REPERES HISTORIQUES

Ancien Empire   Ie-VIe dynasties
3000-2250 av. J.-C.   Pyramides de Guizèh et de Saqqarah.

Moyen Empire   XIe-XIIe dynasties
2000-1570 av. J.-C.   Invasion des Hyksos. Chars de combat.

Nouvel Empire   XVIIIe-XXe dynasties
1570-1100 av. J.-C.   Temples de Louxor et d'Abou-Simbel.

Basse Epoque   XXIe-XXXe dynasties
1100-332 av. J.-C.   Invasions libyenne, nubienne, assyrienne,
                             perse, grecque. Déclin et guerre civile.

Période ptolémaïque
332-30 av. J.-C.   Règnes de Ptolémée Ier à Ptolémée XVI,
                             et enfin de Cléopâtre.

Période romano-byzantine
30 av. J.-C.-639   Saint Marc introduit le christianisme vers
                             l'an 40.

Empire arabe
639-1251   Dynasties des Omeyyades, Abbâssides,
                             Fâtimides et Ayyûbides.

Mamelouks
1251-1517   Mosquées et mausolées du Caire.

Période ottomane
1517-1914   Gouvernement turc à partir d'Istanbul.
1811   Méhémet-Ali prend le pouvoir.
1869   Ouverture du canal de Suez.

Royaume d'Egypte
1917-1952   Le roi Farouk abdique. Domination
                             britannique.

République
1953-1970   Nasser prend la présidence.
1972   Le barrage d'Assouan est achevé.
1979   Traité de paix avec Israël.
1981   Le président Sadate est assassiné.
1981   Moubarak, président de la république.
1989   L'Egyptye réintègre la Ligue arabe.

QUE VOIR

LE CAIRE ET LES PYRAMIDES

Etablie à l'endroit où la vallée du Nil s'ouvre sur son ample delta plat et fertile, la capitale islamique représente, depuis le temps des pharaons, toute la continuité de la vie égyptienne. Le Caire est, avec ses 14 millions d'habitants, la plus grande cité d'Afrique et l'une des plus peuplées du monde (31 000 personnes par km^2). Au bord d'un Nil impassible et silencieux, une foule absolument ahurissante vaque et s'affaire à toutes sortes d'occupations.

Le cœur de la métropole moderne est situé sur la rive orientale du Nil et s'étend jusqu'aux îles de Guézira et Rodah. Là, sur les bords du fleuve, s'élèvent des hôtels de luxe au pied desquels s'étendent les frais ombrages de Garden City. Le Nil est enjambé par quatre ponts, entre la haute maison de la Radio et de la Télévision au nord et l'île de Rodah au sud. L'un des ponts les plus animés, celui d'El-Tahrir (Koubry el-Tahrir), part de l'île de Guézira et franchit le bras principal du fleuve pour pénétrer au cœur de la cité, place El-Tahrir.

Microcosme de la vie cairote, la **place El-Tahrir** (Midan Tahrir) vibre et gronde, de jour comme de nuit. Ce rond-point immense est un véritable labyrinthe de tunnels souterrains reliant les passerelles pour piétons au métro (construit par la France et toujours en cours d'expansion). Sur la place, colporteurs et camelots occupent chaque matin l'emplacement qu'ils se sont attribués, attendant le flot quotidien des clients potentiels. Çà et là, les Cairotes, en longues files immobiles, attendent patiemment des autobus dans lesquels il n'y a souvent plus de place pour monter.

La place est entourée de nombreux bâtiments dont, parmi les plus prestigieux du Caire, le **Musée égyptien** (voir

p. 34), l'Université américaine, le ministère des Affaires étrangères et l'hôtel Nil Hilton, avec son café-terrasse idéal pour regarder passer la vie. Partant de la place El-Tahrir, la rue Talaat Harb conduit à la rue **Kasr el-Nil**, bordée de magasins élégants et de banques. Cinémas, cafés, restaurants et salons de thé abondent dans ce quartier. La nuit, les rues principales, brillamment éclairées, sont le rendez-vous des badauds et des jeunes Cairotes allant au théâtre ou au cinéma. Si l'agitation vous accable, fuyez-la le temps d'une petite promenade jusqu'à la **Corniche** du Nil, que vous atteindrez, où que vous soyez, en vous dirigeant vers l'ouest.

Le Caire musulman

Au-dessus de l'enchevêtrement des toits, admirez l'architecture fantastique des mosquées, leurs dômes et leurs minarets.

Le Caire conserve une riche tradition d'art islamique que le passage du temps ne saurait effacer. En direction de l'est, en partant d'El-Tahrir, vous longerez le grand palais Abdine (palais de la République), datant du XIXe siècle, pour arriver à la place Ahmed Maher; de là, vous couperez à travers un quartier animé par des marchés pour atteindre les bastions

La porte Bab Zoueila est plus attrayante maintenant qu'on n'y pend plus les prisonniers.

massifs et cylindriques de **Bab Zoueila**, porte imposante percée dans les remparts médiévaux. Nombreux sont les criminels ou opposants au régime qui y furent jadis pendus.

Les deux minarets qui couronnent la porte de Bab Zoueila appartiennent en fait à la mosquée **El-Mouayed** contiguë, achevée en 1420 par le Mamelouk El-Mouayed. Les ennemis politiques de ce sultan l'avaient enfermé dans l'infâme prison de Bab Zoueila. Durant son incarcération, il fit vœu de construire une mosquée s'il parvenait à s'échapper. Ayant réussi, il fit édifier un sanctuaire extraordinairement beau, doté d'un charmant jardin intérieur. Demandez au gardien de vous montrer la prison (*segn*), et aussi l'escalier qui mène au sommet de Bab Zoueila: on y jouit d'une vue merveilleuse.

Continuez vers le nord par la rue Muizz lidini-llah jusqu'à la **madrassa d'Al-Ghuri** et le **tombeau d'Al-Ghuri**. Cette composition splendide – *madrassa*, mausolée et *walakat* – fut construite par l'avant-dernier sultan mamelouk, Qansuh Al-Ghuri. A l'ouest, la madrassa offre à la vue un plan cruciforme couvert et un minaret rectangulaire inhabituel, surmonté de très beaux «conduits de cheminées».

En face, le mausolée a perdu sa coupole et tient maintenant lieu de centre culturel local. Le tombeau d'Al-Ghuri, ou «Palais d'Al-Ghuri», a été restauré et est ouvert au public; on peut y admirer des expositions d'art et, les mercredis et samedis, des soirées folkloriques gratuites y sont organisées.

De là, faites quelques pas vers le nord et tournez à droite pour atteindre le **walakat Al-Ghuri**, maison marchande datant du XVIe siècle, ouverte au public et où l'on peut voir des expositions d'art et d'artisanat.

Peu après, tournez à gauche pour arriver à la **mosquée** et l'**université El-Azhar**, centre d'études le plus prestigieux de l'Islam. Son nom arabe signifie «la Splendide». Commencée en 970, la mosquée de Fatima ez-Zahra (sœur du prophète

Mahomet) fut ultérieurement agrémentée de bibliothèques, de portes, de minarets et de foyers pour pèlerins et étudiants. Passé la porte des Barbiers (entrée principale), traversez la grande cour ensoleillée et bordée de chambres, jusqu'à la Grande Chambre pour aller voir les deux niches à prières. Aujourd'hui, 30 000 étudiants venus du monde entier y apprennent la médecine, le droit et la théologie.

Traversez la rue El-Azhar, dont la circulation est intense, pour atteindre le **Khan el-Khalili**, célèbre bazar du Caire. La visite de ce souk s'impose! Les échoppes minuscules où l'on vend de tout, des bijoux d'une valeur inestimable aux articles de pacotille et objets domestiques bon marché, sont bondées de visiteurs cairotes et étrangers.

Nombre de boutiques sont en elles-mêmes des œuvres d'art: encadrements de portes de bois sculptés aux entrelacs délicats, sols recouverts de tapis orientaux, intérieurs qui embaument le cèdre, le santal et l'encens. Demandez au boutiquier la permission de jeter un coup d'œil à ses ateliers; par un véritable labyrinthe, il vous conduira sous les combles, où des hommes et des enfants travaillent avec acharnement. Des travaux d'incrustation compliqués, du cuivre martelé, des bijoux en or ou en argent ciselé seront réalisés sous vos yeux. Devant la délicatesse de ce travail artisanal, vous constaterez que les prix au Kahn el-Khalili sont tout à fait raisonnables.

Regagnez la rue Muizz lidini-llah pour vous rendre ensuite à la **mosquée de Kalaoûn**; c'est un imposant complexe qui comprend un hôpital, un séminaire, le mausolée du sultan Kalaoûn et la mosquée elle-même. L'ensemble fut achevé en 1293. La façade de style fâtimide, richement ornée, rappelle curieusement l'architecture médiévale que les croisés importèrent de France. Ne partez pas sans visiter le **mausolée du sultan**. Après avoir suivi un long couloir, vous découvrirez un magnifique portail, très haut, qui s'ouvre sur une vaste salle dont le plafond sculpté et doré est d'une très grande beauté.

Dans le bâtiment contigu, rivalisant de magnificence avec la mosquée du sultan Kalaoûn, la **madrassa du sultan Barkoûk** date de 1386. Passez ses belles portes de bronze, franchissez un vestibule, tournez à droite et passez d'autres portes de bronze, vous découvrirez là, un plafond couvert d'arabesques d'or sur fond bleu azur. Une pièce donnée au gardien vous donnera accès au tombeau de la fille du sultan Barkoûk.

Bien que, entre la madrassa de Barkoûk et votre prochaine halte au palais d'Al-Mousafirkhana, la promenade soit courte, vous ne pourrez vous passer d'un guide pour emprunter le dédale des rues étroites. N'importe quel gamin du voisinage sera heureux de vous accompagner. Le **palais d'Al-Mousafirkhana** (littéralement «maison d'hôtes» en turc), édifice bien conservé, fut construit vers la fin du VIIIe

La mosquée et l'université El-Azhar constituent ensemble le centre intellectuel et religieux de la capitale.

siècle dans le style mamelouk. Les entrelacs sculptés ornant le plafond du salon principal en font tout le charme.

Revenez sur vos pas jusqu'à la rue Muizz lidini-llah pour voir la **mosquée El-Akmar** (1125). Juste restaurée, sa façade inhabituelle se distingue par une riche ornementation taillée dans la pierre. A quelques pas de là, au nord et sur votre droite, se trouve **Bêt es-Souhaymi**, qui était, il y a deux siècles, la demeure d'un cheik, recteur d'El-Azhar. La maison se divise, selon le plan traditionnel, en un salon où l'on recevait les invités masculins (*salamlik*), et les appartements privés où vivaient l'épouse et les filles (*haramlik*). A l'étage, les vitraux, le dallage à la turque et les grillages en bois tourné (moucharabiehs) font de la «prison» des femmes un véritable palais.

Dirigez-vous ensuite vers le mur nord de la cité médiévale, où se dresse la grande **mosquée El-Hakim**. Celle-ci fut achevée en 1013 par le tristement célèbre El-Hakim, le calife fou. Largement restauré et construit grâce aux dons de la secte musulmane Bahara, l'édifice n'a rien perdu de sa beauté.

A proximité, Bab el Foutouh et Bab en-Nasr faisaient partie intégrante des **remparts** de la ville, érigés à la fin du XIe siècle. Les murs d'origine ont été entretenus et reconstruits au cours des siècles, notamment par les troupes napoléoniennes. Les noms des soldats, gravés dans la pierre, sont encore lisibles. Un guide surgi on ne sait d'où vous vendra un billet et vous emmènera en haut des remparts.

La Citadelle

En partant du centre-ville pour se rendre à la Citadelle, on passe par la rue El-Qalaa flanquée de deux mosquées imposantes. La **mosquée du sultan Hassan**, glorieuse réalisation de son royal constructeur, fut achevée en 1362 et est considérée comme étant la plus belle mosquée du Moyen-Orient. La hauteur surprenante et la majesté austère du portail principal rivalisent avec l'intérieur où se trouvent quatre *iwans*, lieux de prière surélevés. Le minaret, d'une hauteur vertigineuse, atteint 85 m. Le **tombeau du sultan Hassan**, situé derrière le mihrab (niche à prière), est orné de beaux vitraux et d'une guirlande d'inscriptions qui court sur les murs. La tombe est réalisée en albâtre d'Egypte.

De l'autre côté de la rue, la **mosquée er-Rifaï**, destinée à devenir la dernière demeure des descendants de Méhémet-Ali, fut achevée en 1912. Le schah d'Iran y est enterré; l'Egypte étant le seul pays à avoir accepté le souverain déchu.

Grimpez jusqu'à la **Citadelle**, forteresse dans le style des croisés, datant de l'époque de Saladin (1207). De tous les monuments de la Citadelle, c'est la **mosquée de Méhémet-**

L'intérieur de l'imposante mosquée du sultan Hassan est un chef-d'œuvre d'architecture islamique.

Ali (ou «mosquée d'albâtre») qui attire le plus l'attention. Bâtie au début du XIXe siècle, elle est de style baroque ottoman, avec ici et là quelques touches Louis-Philippe.

Construite sur le modèle turc, elle est précédée d'une belle grande cour ouverte, entourée d'une colonnade. Les pharaons eux-mêmes n'utilisèrent pas l'albâtre avec la prodigalité de Méhémet-Ali: tout l'intérieur en est recouvert, alors que le tombeau du *pacha* (à droite en entrant) est en marbre de Carrare.

En quittant la mosquée, contournez-la pour avoir une grandiose **vue panoramique** sur le Nil et Le Caire. S'il n'y a pas trop de brume, vous apercevrez au loin les pyramides de Guizèh, que l'on dirait posées en équilibre au bord du désert. Avant de quitter l'observatoire, cherchez la vaste cour carrée et le minaret-ziggourat de la mosquée d'Ibn Touloûn, à quelque distance à l'ouest de la Citadelle: votre prochaine étape.

Bien qu'il y en ait d'autres plus anciennes au Caire, la **mosquée d'Ibn Touloûn** (879) est la mieux conservée des premières constructions islamiques de la ville. Sa cour, fermée par un porche soutenu par cinq arcades, est la plus large du Caire (90 m).

Ibn Touloûn, qui fit bâtir cette mosquée au IXe siècle, mourut à la suite d'une overdose de lait de buffle.

A deux pas de ce sanctuaire, l'un des musées les plus passionnants du Caire, le **musée Gayer-Anderson**, est installé dans deux anciennes maisons arabes adjoingnantes (1540 et 1631). Le major Gayer-Anderson, officier britannique, acheta ces deux maisons et les restaura, puis les habita entre les deux guerres mondiales. Ces bâtiments constituent un excellent exemple de l'architecture domestique traditionnelle; le musée offre de beaux spécimens des arts décoratifs de Perse, de Turquie, d'Arabie, d'Europe et même de Chine.

Le Vieux-Caire

Le Vieux-Caire se situe à quelques kilomètres au sud du centre de la ville moderne; on y accède en taxi, en autobus depuis la jetée située entre la tour de la Télévision et le Ramsès Hilton

jusqu'au terminus à Masr El-Qadeema (Vieux-Caire), ou par le métro en partant de la place Tahrir et en descendant au Musée copte.

Bien avant la fondation du Caire moderne, s'élevait ici une forteresse romaine du nom de Babylone. Vous entrerez dans la vieille cité par une porte encadrée de deux grosses tours romaines. A l'intérieur de l'enceinte, s'élèvent de nom-

La tour du Caire n'est pas aussi célèbre que la tour de Londres, mais vaut quand même le détour.

breux monastères et églises coptes. L'**église el-Moallaqah** («la Suspendue») tire son nom de sa situation exceptionnelle au faîte des deux tours d'une porte romaine, sa nef centrale étant ainsi «suspendue» au-dessus du vide. Les fondations datent du VIIe siècle, mais selon certains indices, il y aurait eu là un sanctuaire dès le IVe siècle.

El-Moallaqah, qui possède un merveilleux ambon du XIe siècle, serait avec Saint-Serge (Abou Sergah), la plus vieille église du pays. **Saint-Serge** se trouve à l'écart, au cœur du dédale des ruelles du Vieux-Caire bordées de majestueux portails et pavées de grosses pierres patinées par les siècles. Selon la légende, c'est là que Marie, Joseph et l'Enfant Jésus auraient trouvé refuge durant leur fuite en Egypte.

A quelques pas de Saint-Serge, l'**église Sainte-Barbara** est décorée dans le style copte le plus pur. Immédiatement après, sur la droite, s'élève la petite **synagogue Ben-Ezra**, restaurée avec art grâce à des dons étrangers mais n'offrant plus d'office religieux. Le gardien est fier de l'histoire de la synagogue, et vous montrera, moyennant une petite contribution, les vieux livres saints de la communauté.

Ne quittez pas le Vieux-Caire sans faire une visite du Musée copte (voir p. 36).

Les deux îles

Qui veut échapper à la frénésie épuisante des grandes artères de la cité moderne mettra le cap sur l'**île de Guézira**, couverte de parcs et de clubs sportifs, et où s'élève la **tour du Caire** (El-Borg). Un salon de thé en plein air en occupe la base et vous pourrez vous y désaltérer agréablement. Grimpez ensuite au sommet de la tour, haute de 182 m, d'où vous jouirez d'une vue magnifique. Guézira accueille également l'**Opéra du Caire** (qui abrite le musée d'Art moderne) et le grand hôtel Guézira Sheraton à l'extrémité sud de l'île.

Légèrement plus petite que Guézira, l'**île de Rodah** abrite, en son secteur nord, le **palais Manyal**, transformé en musée (voir p. 37). A la pointe sud de l'île, vous pourrez voir le **Nilomètre** (El-Miqyas) qui, depuis l'an 715, a permis aux Egyptiens de mesurer avec précision le niveau maximum atteint par les crues du Nil. De nos jours, le barrage d'Assouan contrôle les eaux du Nil, rendant le Nilomètre inutile.

Les musées

Au centre du Caire, au nord de la place El-Tahrir, se trouve le **Musée égyptien**, l'un des plus importants du pays. Le bâtiment, construit au XIXe siècle, était destiné à abriter les innombrables œuvres mises à jour lors des fouilles que suscita la vague d'enthousiasme pour l'égyptologie, née lors de l'occupation française. La collection est si vaste qu'il convient de se limiter à l'essentiel.

Prenez à gauche, après l'entrée, pour passer entre les deux statues colossales qui donnent accès à la salle consacrée à

l'Ancien Empire; elle abrite les sculptures et les sarcophages les plus anciens du musée. Les parois gravées d'une petite chambre funéraire provenant de Dahchour (VIe dynastie) répertorient les offrandes et les provisions destinées à faciliter l'ultime voyage du mort…

Cette superbe pièce en or massif fait partie des chefs-d'œuvre du trésor du roi Toutankhamon.

Plus loin, vous serez frappé par la statue (No 141), stylisée mais très vivante, d'un scribe de Saqqarah (Ve dynastie): ses yeux de verre réfléchissent les éclats de lumière avec un réalisme étonnant.

Dans la salle 32, les figures du grand-prêtre **Rahotep** et de son épouse **Néfret** (No 223) témoignent de l'extrême beauté de ces nobles personnages. Le talent des artistes ne s'arrêtait toutefois pas à la représentation exclusive de l'homme, comme le montre le No 446 (salle 12): la déesse Hathor y est représentée sous les traits d'une vache. Elle fut découverte dans la niche qui s'élève derrière elle, et dont le plafond figure le firmament parsemé d'étoiles. Dans la salle 8, le couvercle du cercueil doré, à incrustations de cornaline, était destiné au frère de Toutankhamon. Consacrée au règne d'**Akhenaton**, la salle 3 contient des statues gigantesques du roi, exécutées dans ce style d'un naturalisme exacerbé, caractéristique de la période.

Certaines pièces, parmi les plus intéressantes, remontent au règne de Ramsès II, tel cet énorme bloc de pierre représentant le poing du souverain, symbole de l'autorité pharaonique. La collection renferme aussi le coffre de Toutankhamon, exquisément peint, le cercueil de Ramsès II, et divers coffres, ainsi qu'une foule d'objets séduisants, en provenance d'Amarna.

Pour vous faire une idée exacte de la vie quotidienne dans l'Egypte ancienne, vous visiterez les salles 22, 27, 32 et 37. Les charmantes figurines de bois qui abondent dans ces salles représentent les serviteurs censés pourvoir aux besoins du voyageur dans son voyage vers l'«autre rive».

Préparez-vous au choc que vous réserve la section consacrée au **trésor du roi Toutankhamon**, qui mourut à l'âge précoce de 19 ans. La sépulture inachevée lors du décès de ce monarque, est située dans la Vallée des Rois, à Thèbes

(Louxor). Ayant, par miracle, échappé aux profanateurs de sépultures, elle contenait encore, lorsque l'archéologue Howard Carter la découvrit en 1922, un trésor unique tant par l'abondance et la diversité que par la beauté. Mille sept cents objets pour ce petit monarque? Quels incommensurables trésors, se demande-t-on alors, devaient accompagner la dépouille de pharaons aussi puissants que Ramsès II…

Dans la salle 3 sont exposées les plus belles pièces du trésor; parmi elles, le cercueil en or massif, quantité de bijoux et le célèbre masque funéraire en or de Toutankhamon. Galeries et corridors avoisinants regorgent encore de ses merveilles: des catafalques en bois doré, un ravissant petit trône en or orné de pierreries et décoré du symbole du dieu-soleil Aton, et un superbe coffre en or surmonté de cobras sacrés et entouré de quatre gracieuses jeunes filles. La visite du tombeau de Toutankhamon, dans la Vallée des Rois, laisse perplexe; on se demande, en effet, comment un trésor aussi volumineux a pu y être entassé.

Tout près de la place Bab el-Kealk, le **musée d'Art islamique**, contigu à la bibliothèque égyptienne, contient de merveilleuses collections: tapis de prière, céramiques, lampes de mosquée en verre émaillé, tissus, manuscrits enluminés. La collection d'armes incrustées et ciselées justifie à elle seule la visite. Si le Coran interdit (en théorie) la représentation humaine, on observera ici et là des transgressions à la règle.

Le **Musée copte** est situé au cœur du Vieux-Caire. Sont ici rassemblés de beaux spécimens d'artisanat copte,

Beaucoup des œuvres exposées au Musée copte retiendront votre attention.

provenant de ruines d'églises et de maisons: sculptures sur bois, objets en verre, moucharabiehs, bijoux d'or ou d'argent. A priori, l'art copte ressemble étonnamment à l'art islamique: même entrelacs délicats dans les enluminures des livres saints. Mais la différence réside en ce que l'artiste chrétien était autorisé, par sa religion, à représenter les hommes et les animaux.

Le **palais Manyal**, sur l'île de Rodah, n'est autre que le palais du pacha Méhémet-Ali, devenu, après la chute de la monarchie, un musée composé de divers pavillons remplis d'objets curieux et précieux qui agrémentaient la vie quotidienne du roi.

Entouré de magnifiques jardins, le palais constitue un plaisant refuge, loin du bruit et de la poussière de la ville.

A proximité de l'hôtel Sheraton, le **musée Mohammed Mahmoud Khalil**, rénové il y a peu, recèle de magnifiques œuvres impressionnistes.

A l'**Institut du papyrus** du professeur Hassan Ragab, situé à deux pas, dans un bateau à l'ancre sur le Nil, on peut assister au traitement du papyrus et acheter le produit fini, peint ou dessiné. A un kilomètre au sud, s'étend le **village pharaonique** du professeur Ragab, établi sur l'île Jacob. Depuis un «amphithéâtre», halé telle une péniche le long d'un canal sinueux bordé de papyrus, on a d'intéressants aperçus des méthodes de culture et de fabrication qui étaient en usage dans l'Egypte ancienne. Pour les horaires des musées, voir p. 115

Les pyramides

Guizèh

L'itinéraire menant aux pyramides de Guizèh suit, comme il se doit, l'avenue des Pyramides. Cette route est habituellement encombrée, mais l'œil est bien vite captivé par le spectacle extraordinaire des «Grandes Pyramides» surgissant derrière les hôtels et les immeubles modernes.

En bordure de la ville et à la lisière du désert, les pyramides, avec leurs formes géométriques sobres et parfaites à distance, révèlent de plus près les secrets de leur contruction: chacune d'elles est constituée de millions de blocs de pierre massifs, et chaque face, moins lisse qu'il n'y paraît à première vue, évoque plutôt quelque gigantesque escalier. Sans ouverture pour en suggérer l'échelle, ces édifices puissants semblent trompeusement petits. Jusqu'au moment où l'on parvient à leur base! Ces montagnes construites par l'homme vous écrasent alors de leur majesté immense.

Les pyramides de Guizèh furent édifiées durant la IVe dynastie de l'Ancien Empire, environ 2600 ans av. J.-C. La **Grande Pyramide de Chéops** est la plus importante des trois: haute de 137 m, elle se compose de près de deux millions et demi d'énormes blocs de pierre et est la seule

Les pyramides

La croyance qui poussa les anciens Egyptiens à enterrer leurs morts sous des tumulus se perd dans la nuit des temps. Mais quelles qu'en aient été les motivations premières, c'est à partir de ces monticules recouverts de briques que les Egyptiens en sont venus à développer ces édifices. On dit que 100 000 hommes ont, pendant 20 ans, travaillé à la construction de la Grande Pyramide de Chéops.

A l'origine, les tombeaux (mastabas), affectaient la forme d'un rectangle plat. Imhotep superposa plusieurs mastabas pour recouvrir la tombe du roi Djozer; l'idée eut du succès et c'est ainsi que le grand bâtisseur inaugura l'ère des pyramides. La simplicité apparente de ces gigantesques monuments dissimule en fait une très grande complexité de plan, liée aux croyances des anciens Egyptiens.

rescapée des Sept Merveilles du monde. Il est désormais formellement interdit d'en escalader la façade; et s'il est émouvant d'en visiter l'intérieur, seules les personnes assez sportives et non sujettes à la claustrophobie pourront suivre le guide dans ces profondeurs hantées pour voir la chambre funéraire de Chéops, avec son sarcophage et ses conduits d'aération. L'intérieur de la Grande Pyramide sera fermé jusqu'à la fin de l'année 1998 en vue de travaux de restauration et de l'installation d'un système de ventilation pour le contrôle de l'humidité.

La **pyramide de Chéphren** est à vrai dire un mètre moins haute que la Grande Pyramide mais, construite sur un terrain plus élevé, elle semble plus haute à distance. Le revêtement de dalles polies qui recouvrait autrefois chaque pyramide est encore visible près du sommet. La visite de l'intérieur de cette pyramide est plus facile que celle de la Grande Pyramide, mais un guide est toujours nécessaire.

La pyramide de **Mykérinos**, la troisième et la plus petite, ne mesure que 66 m de haut; elle est aussi la plus récente des pyramides de Guizèh. Les mastabas construits tout autour des pyramides ont été disposés ainsi afin que la famille, les amis et les serviteurs nobles des pharaons puissent reposer à l'ombre de leur souverain.

Le **Sphinx** aurait été sculpté à l'image du pharaon Chéphren, et il garde la pyramide qui lui sert de tombeau. Mille ans après sa construction, le monument était entièrement enseveli par les sables. Touthmôsis IV (1425-1408 av. J.-C.) le fit dégager et restaurer; 3000 ans plus tard, les Mamelouks utilisèrent le Sphinx comme cible pour l'entraînement des artilleurs luttant contre Napoléon. Les temps modernes lui accordent une attention méticuleuse, le Sphinx étant en constant état de rénovation. Un espoir demeure de pouvoir récupérer son nez qui se trouve au British Museum à Londres. Suite à de récents travaux

de restauration qui ont duré près de 10 ans, le Sphinx est à nouveau accessible aux visiteurs depuis mai 1998.

Près du Sphinx, le **temple funéraire de Chéphren** est remarquable par la taille et la surface lisse de ses blocs de granit, ainsi que par son sol d'albâtre. La **barque solaire**, un de ces longs bateaux en cèdre du Liban qui furent enfouis à proximité de la Grande Pyramide, constitue une autre curiosité du site. Découverte en 1954, elle était destinée au voyage de Chéops dans l'au-delà.

Saqqarah et Memphis

Longeant des champs irrigués par des canaux, la route qui part au sud de Guizèh mène à **Saqqarah**. Composée de centaines de tombes et de monuments, Saqqarah est la plus ancienne nécropole égyptienne. L'activité y fut particulièrement intense sous l'Ancien Empire, lorsque la capitale des pharaons se trouvait à Memphis, à quelque distance de là.

Vous admirerez d'abord la **pyramide à degrés de Djozer** (IIIe dynastie), qui fut édifiée sans doute un siècle avant celles de Guizèh. L'architecte du roi Djozer, Imhotep, fit preuve d'une ingéniosité remarquable dans la conception de ce tombeau. A l'origine, les tombeaux ou mastabas étaient de forme rectangulaire. Imhotep superposa six grands mastabas de taille décroissante, créant ainsi la pyramide à degrés. Cette idée ne laissa pas insensible le roi Snéfrou (IVe dynastie) qui, quelques années plus tard, s'en inspira pour la pyramide dite «rhomboïdale» que l'on peut admirer à Dahchour, au sud de Saqqarah. Les degrés furent ensuite abandonnés au profit de faces planes dont la pente changeait à mi-hauteur, conférant ainsi à la pyramide une impression de lourdeur maladroite. C'est finalement Chéops, le fils de Snéfrou, qui en perfectionna la forme et fit construire à Guizèh la plus impressionnante des pyramides.

Plusieurs des tombeaux qui entourent la pyramide à degrés sont ornés de fresques d'une beauté exceptionnelle. Ainsi, le **mastaba de la princesse Idout** (VIe dynastie), situé au bout de l'allée après l'entrée principale, est particulièrement riche en scènes nautiques. A proximité, se dresse la petite **pyramide d'Ounas** (Ve dynastie) et, un peu plus loin, celles de Dahchour. L'intérieur de cette pyramide est un recueil de noms peints sur les murs, témoins de la présence «d'intrus» tout au long des siècles.

Au nord-est de la pyramide à degrés s'élève le **tombeau de Mérérouka** (VIe dynastie), aux 30 salles décorées de scènes de chasse et de pêche. Le détail en est si précis que les zoologistes les ont utilisées pour étudier la faune de l'ancienne Egypte. Tout près, le **tombeau de Kagemni** (VIe dynastie) contient des fresques polychromes d'une égale beauté, et dont l'éclat est encore mieux préservé.

Une courte promenade au nord-ouest de la pyramide à degrés mène à la Rest-House Auguste Mariette, portant le nom du célèbre archéologue français qui découvrit de nombreux monuments de l'endroit et fondateur du Musée égyptien au Caire (voir p. 34). De là, les chameliers vous emmèneront à travers le désert jusqu'au **mastaba de Ti** (Ve dynastie). Enseveli sous les sables pendant quelque 4500 ans, ce superbe tombeau a été découvert par Mariette. Ti, haut dignitaire à la cour de plusieurs pharaons, sélectionna les artistes et les artisans les plus réputés pour décorer son tombeau.

L'énigmatique Sphinx, au beau visage abîmé, aurait été taillé à l'image du pharaon Chéphren.

Au nord de cette tombe, le **Sérapéum**, sculpture des Apis (taureaux sacrés), découvert par Mariette vers 1850, a son origine dans la période la plus reculée de la civilisation égyptienne et servait à la momification de ces animaux.

Sur le chemin du retour (à 16 km du Caire), vous passerez par les ruines de **Memphis**, au bord du Nil. Les vestiges de ce qui fut la première cité égyptienne jusqu'en 2200 av. J.-C. (fin de la VIe dynastie) ne sont guère importants: le colosse en calcaire de Ramsès II et un sphinx d'albâtre (Nouvel Empire). Une autre statue de Ramsès II, découverte ici, domine la place de la gare au Caire.

ALEXANDRIE ET LA MEDITERRANEE

Jadis capitale grandiose, la cité d'Alexandrie, avec ses 5,5 millions d'habitants, est située à 220 km au nord du Caire et à l'ouest du delta du Nil. Fondée par Alexandre le Grand en 332 av. J.-C., elle connut son heure de gloire. Cependant, excepté quelques vestiges, rien ne subsiste aujourd'hui de sa grandeur passée et les constructions modernes s'élèvent, les unes contre les autres, à l'emplacement des sites antiques.

Une chose est sûre, l'esprit ouvert et indépendant des gens tranche considérablement avec l'attitude bureaucratique des Cairotes. Avant la révolution de 1952, ce port du Levant grouillait d'une population cosmopolite; de nos jours, la ville attire de nombreux vacanciers cairotes et les nostalgiques de l'ère révolue des beaux jours d'Alexandrie.

Un jour suffit pour visiter la ville, mais prenez le temps de savourer un délicieux repas de fruits de mer dans l'un des restaurants du port.

Commencez votre visite par l'extrémité ouest de la longue **Corniche** (avenue du 26 Juillet). Cette importante artère longe l'est du port. La route côtière se prolonge vers l'est, sur 8 km, du centre-ville au palais de Montazah. A l'extrémi-

L'Alexandrie d'aujourd'hui ne manquerait pas de sur-prendre cette belle patricienne du Musée gréco-romain.

té ouest de la Corniche, sur la péninsule, s'élève l'ancien pa-lais royal de **Ras el-Tîn**, construit pour Méhémet-Ali entre 1834 et 1845.

À l'est de ce dernier, une partie du **fort de Qaït Bey** (XVe siècle) abrite aujourd'hui le Musée naval, qui occupe l'em-placement présumé de l'ancien phare d'Alexandrie, l'une des Sept Merveilles du monde. De nos jours, rien ne subsiste de ce phare grandiose, tout de marbre, et dont les feux éclai-raient les mers d'une hauteur de 180 m. Le fort, contenant les reliques des batailles navales napoléoniennes, offre aussi une vue imprenable sur la cité et sur le port.

Au sud du fort de Qaït Bey, à quelques pas de la Corniche, s'élève la **mosquée Abou el-Abbas** (1767), l'une des plus imposantes d'Alexandrie.

Continuez vers le centre-ville pour arriver à la **place Saad-Zaghloul** qui, avec ses cafés, ses arrêts de trams et sa gare routière animée, offre également une magnifique vue de la baie d'Alexandrie.

Vous tournerez ensuite le dos à la mer pour vous rendre au **Musée gréco-romain** qui, malgré son nom, abrite aussi quantité d'antiquités pharaoniques. On compte, parmi les vestiges de la cité, le célèbre **amphithéâtre romain** de Kôm ed-Dikka, dégagé en 1963, et les **catacombes** voisines de Kôm el-Choughafa. Celles-ci datent des Ier et IIe siècles de l'ère chrétienne et présentent un mélange très inhabituel de styles pharaonique et romain. La **colonne de Pompée** n'a aucun rapport avec le général romain. Ce monument de près de 30 m de haut, en granit rose d'Assouan, fut érigé au IIIe siècle de notre ère en l'honneur de Dioclétien, soit bien après l'époque de Pompée. En poursuivant vers l'est, ne manquez pas le **musée de la Joaillerie**, à Zizinia. Palais royal de la famille Farouk, il abrite une collection extravagante de joyaux et les salles de bains y sont grandioses.

Les plages

Peu connues des touristes, les plages et stations balnéaires des alentours sont néanmoins fort attrayantes et bien connues des estivants cairotes. Les plages d'Alexandrie commencent en pleine ville, mais les plus belles sont situées à l'est: **Maamoura**, **Montazah** et **Aboukir**. Aujourd'hui, restaurants de poissons et de fruits de mer font la renommée de cette dernière, connue comme le site de la défaite que Nelson infligea à la flotte de Bonaparte en 1798.

A l'ouest d'Alexandrie, le littoral s'étire sur 500 km ou presque jusqu'à la frontière libyenne. Il est jalonné de stations balnéaires, toutes accessibles par divers moyens de transport public. Pratiquement englobée dans Alexandrie, **El-Agami** est l'une des stations les plus agréables de la côte.

El-Alamein est à 160 km (une heure et demie en voiture) d'Alexandrie. Ce lieu, célèbre pour les violentes batailles du désert en 1942, est désormais un paisible centre de va-

A quelques minutes du centre d'Alexandrie, la très populaire plage de Montazah vous attend pour un bon bain.

cances. Afin de commémorer la victoire des forces britanniques de Montgomery sur les troupes allemandes de Rommel, un musée et des cimetières militaires (des deux armées) ont été aménagés.

A 20 km de là, **Sidi Abdel Rahman** offre une jolie plage, des eaux claires et un bon hôtel.

A deux heures de route, à l'ouest d'El-Alamein (300 km) et à proximité de la frontière du Liban, **Mersa-Matrouh** est à la fois une station balnéaire, le centre administratif de la province du Désert occidental et un port de pêche. Vous y trouverez de très belles plages abritées, idéales pour la natation et les sports nautiques, ainsi qu'une bonne sélection d'hôtels.

Les monastères de Ouadi Natroun

La route, peu fréquentée, qui relie Le Caire à Alexandrie par le désert, permet d'accéder aux **monastères coptes** de Ouadi

Natroun, situé à 120 km d'Alexandrie (la région tire son nom du natron, un minéral servant à la momification et à la fabrication du verre). On prendra à droite à la hauteur de la Rest-House (auberge), pour atteindre les monastères, à quelque 10 km de la grand-route.

Lorsqu'on franchit les hauts murs d'enceinte, on est frappé par l'atmosphère de piété et de simplicité qui règne dans les quatre monastères de **Deir Anba Bishoi**, **Deir es-Souriâni**, **Deir Anba Baramos** et **Deir Abou Makar**. Ce dernier, autrefois le plus important de tous, devait donner à l'église copte la plupart de ses premiers pères. Depuis le IVe siècle, des moines y ont vécu en reclus. Des fouilles récentes ont mis au jour un squelette sans crâne, qui pourrait être celui de saint Jean-Baptiste (dont la tête est conservée dans la mosquée des Omeyyades, à Damas).

LE FAYOUM

Situé au cœur du désert occidental, le Fayoum est une vaste zone cultivée de quelque 1300 km², qu'irrigue un canal ali-

Le monastère de Deir es-Souriâni était, comme son nom l'indique, réservé aux moines syriens.

menté par le Nil. Du Caire, on y accède en moins de deux heures de route. La région du Fayoum est un pays plat aux champs fertiles et à la végétation luxuriante permettant la culture d'amandes, d'abricots, d'oranges et de citrons. La terre y est encore labourée avec des charrues tirées par des bœufs, lorsqu'elle n'est pas retournée à la houe.

Sur les routes, des chariots brinquebalants, tirés par des chevaux transportent de la canne à sucre, du fourrage ou encore des passagers… Des femmes enveloppées dans de grandes robes noires flottantes portent sur la tête de lourds paniers en équilibre savant. Ici et là, une palmeraie offre son ombre bienvenue ou un pittoresque moulin à eau de bois noirci tourne en grinçant.

L'intérieur du temple d'Hathor, dédié à l'épouse d'Horus, est imposant et même un peu inquiétant.

Médinet el-Fayoum, capitale de la province, compte près de 400 000 habitants. Autrefois appelée Crocodilopolis, elle était consacrée au dieu crocodile Sobek. Les visiteurs se pressent autour de l'immense moulin à eau (noria) servant à élever le niveau d'irrigation des eaux.

Le **lac Karoûn**, à 16 km au nord du Fayoum, est un lac poissonneux, et bien connu pour la chasse et le tir au canard qui s'y pratiquent. L'ancien pavillon de chasse du roi Farouk, situé sur la rive méridionale du lac, a été aménagé en hôtel, l'Auberge du Lac-Fayoum. Il n'est toutefois pas recommandé de nager dans le lac.

De tous les sites pharaoniques à Fayoum, celui de **Médinet Madi** (construit par Aménophis III) est le mieux conservé; malheureusement il est difficile d'accès. On se rend plus aisément aux pyramides de **Meidum**, **Lahoun** et **Hawara**, mais la visite la plus commode est sans aucun doute celle des vestiges de la ville ptolémaïco-romaine de **Karanis**. Située sur un escarpement dominant le Fayoum, elle comprend un musée local abritant des momies, des portraits du Fayoum, des joyaux ainsi que des pièces romaines.

LA HAUTE-EGYPTE

A mesure que la verte vallée du Nil qui s'étire vers le sud s'amincit, l'Egypte arabe cède petit à petit la place à l'Egypte africaine. Si le delta occupe en Basse-Egypte un territoire vaste et prospère, le sol fertile de la Haute-Egypte ne représente qu'une bande de quelques centaines de mètres de part et d'autre du fleuve sacré. Les *fellahin* (paysans) compensent le manque de terres par une culture intensive.

Votre voyage dans la Haute-Egypte pharaonique vous fera découvrir une succession de trésors archéologiques, allant de la simple poterie couverte de poussière aux temples magnifiques. A **Abydos**, le **temple d'Osiris**, érigé par ordre de Séthi I

(XIXe dynastie), est décoré de belles fresques, hélas difficiles à
voir dans les chambres sombres au sol défoncé (une lampe de
poche s'impose). Abydos est un lieu consacré à la mémoire
d'Osiris qui, assassiné et coupé en morceaux par son frère ja-
loux Seth, devint gardien de l'au-delà. L'**Osiréion**, qui s'élève
derrière le temple, est le cénotaphe de Séthi I; celui-ci, pour té-
moigner de son amour pour Osiris, fit construire ici un tombeau, ce qui ne l'empêcha pas de faire construire sa propre
sépulture dans la Vallée des Rois, à Thèbes, que les pharaons
pensaient inviolable (voir p. 63).

Après quelques minutes de marche, vous parviendrez aux
ruines du **temple de Ramsès II**; il porte encore les traces des
couleurs vives qui éclataient autrefois sur ses murs.

En poursuivant le long du fleuve, vous découvrirez un ensemble de temples: **Dendérah**. Quoique l'édifice le plus important en soit le temple ptolémaïque, le site lui-même était
un site sacré depuis la nuit des temps. Le **mammisi d'Auguste** ou temple de l'accouchement, que l'on aperçoit sur la
droite après avoir passé le grand portail, date du temps des
Romains. Les fresques du mur sud et de l'ensemble du temple illustrent la naissance et l'allaitement d'un enfant dieu,
symbole de souveraineté. Un second temple de la fertilité, le
mammisi de Nectanébo (XXXe dynastie), fut construit à la
fin de la période pharaonique. Entre les deux temples se
trouvent les ruines d'une église copte.

Le **temple d'Hathor** est le temple principal de Dendérah
et est dédié à la déesse Hathor, la mère des dieux et l'épouse
d'Horus. Elle est souvent représentée sous les traits d'une
belle femme dont la tête est coiffée d'une paire de cornes en-
serrant un disque solaire, ou comme une vache bienveillante,
symbole de fertilité ou parfois combine les deux.

Les colonnes de la salle hypostyle sont coiffées de chapiteaux représentant le visage de la déesse Hathor. La chambre

des offrandes possède des fresques qui figurent Hathor dispensant ses bienfaits. Plus loin, les bas-reliefs mystiques dépeignent les diverses processions sacrées accomplies jadis en ce lieu. Le gardien vous conduira jusqu'aux cryptes.

Les chambres, au-dessus du sanctuaire, sont décorées de fresques décrivant le processus de l'embaumement; les plafonds sont animés du corps sinueux de Nout, déesse symbole du ciel. Echappez à la profondeur de ces lieux en allant sur la terrasse du temple, d'où la vue des collines alentours est magnifique.

Le **lac sacré**, se trouve à l'ouest et vers l'arrière vous pourrez voir le petit **temple d'Isis**, sœur et épouse d'Osiris et mère d'Horus.

Louxor

De l'an 2100 à l'an 750 av. J.-C. (Xe-XXVe dynastie), la puissance et la gloire égyptiennes rayonnèrent à partir des temples de Louxor et de Karnak, dans la cité de Thèbes. C'est également là que le Nouvel Empire (1570-1100) connut son apogée. Tandis que la cité des morts (nécropole) s'étendait sur la rive occidentale du Nil, la cité des vivants prospérait entre ces deux grands temples. Mais ces quatorze siècles de supériorité thébaine allaient connaître une fin brutale avec l'invasion assyrienne, au VIIe siècle av. J.-C. Déjà, pendant l'Antiquité, Thèbes attirait les visiteurs sur les ruines de son passé glorieux.

Vint alors une époque où un regain d'intérêt pour la cité amena les égyptologues à dégager les temples des sables et mettre à jour les sépultures pharaoniques. L'ouverture du canal de Suez (voir p. 79) en 1869, augmenta la popularité d'une Egypte au doux climat hivernal et, depuis, Louxor (80 000 habitants) attire un flot continuel de visiteurs.

La **Corniche**, ombragée, longe le Nil, où de gracieuses felouques, amarrées entre les gros bateaux, sont prêtes à vous emmener sur la rive opposée jusqu'à la Vallée des Rois (voir p. 63). Les grands piliers du temple de Louxor, éclairés la nuit, dominent la rive orientale du Nil; le soir, les promeneurs convergent vers cet édifice antique et grandiose. Dans cette atmosphère enchanteresse, la journée passe souvent trop vite et quelques jours ne permettent que de voir l'essentiel.

☞ Débutez votre visite par le **temple de Louxor**. C'est sous le règne d'Aménophis III (XVIIIe dynastie) et de Ramsès II (XIXe dynastie), c'est-à-dire de 1400 à 1250, qu'ont été en-

Les dieux égyptiens

La religion de l'Egypte ancienne est caractérisée par la profusion et la grande confusion de ses divinités. Les dieux d'une région pouvaient avoir des attributs différents dans une autre et nul n'a jamais pu dire avec certitude ce qui revenait à l'un ou à l'autre. Ci-dessous, les divinités les plus populaires:

Divinité	Apparence	Qualités
Amon-Rê	Soleil, bélier, faucon	Le plus grand des dieux, protecteur de Thèbes
Osiris	Pharaon	Dieu des Enfers
Isis	Beauté féminine	Epouse-sœur d'Osiris, mère d'Horus
Hathor	Vache, déesse encornée	Déesse de la Fertilité, de l'Amour et de la Joie
Horus	Faucon, disque solaire ailé, enfant	Protecteur du roi, divinité à fonctions multiples
Anubis	Chacal	Dieu des Cérémonies funéraires
Thot	Ibis	Dieu de la Sagesse et du Savoir
Ptah	Homme	Protecteur des artisans et des artistes
Maat	Plume d'autruche	Déesse de la Justice

treprises les étapes décisives de sa construction. Cet impressionnant monument était le cadre d'une grande cérémonie destinée à marquer la nouvelle année et consacrée au dieu Amon. Celui-ci est représenté sur diverses fresques, tantôt sous son aspect de dieu solaire Amon-Rê, tantôt sous celui du dieu phallique Amon-Min, divinité lascive et impudique.

En face du grand pylône (portail) ne s'élève plus aujourd'hui qu'un seul **obélisque** finement gravé; l'autre, offert à la France par Méhémet-Ali en 1831, se dresse sur la place de la Concorde, à Paris. La petite mosquée d'Aboul Haggag oc-

*A Louxor, la majestueuse allée des Sphinx relie
Karnak au grand temple d'Amon.*

VALLÉE
DES ROIS

Tombeau
d'Aménophis III

Tombe de
Toutankhamon

Tombeaux
des
Rois

Deir el-Bahari
Temple
d'Hatshepsout

Temple-
pyramide de
Mentouhotep II

'Ilwet el-Cheikh
'Abd el-Gournah

Temple
ramesside

VALLÉE
DES
REINES

Temple de Touthmôsis
III

Temple
ptolémaïque

Temple de
Touthmôsis IV

Deir el-Médineh

Temple de
Touthmôsis IV

Temple
d'Aménophis II
Ramesseum

NÉCROPOL
THÉBAINE

Tombeaux
des Reines

Médinet
Habou

Temple
de Ramsès

Colosses
de Memnon
(Aménophis III)

Temple de
Ramsès III

Temple de
Touthmôsis III

Pavillon de Ramsès III

Site du palais
d'Aménophis III

BIRKET
HABOU

(Site du lac
d'Aménophis III)

N

0   0.5   1 km
0   0.5   1 km
   0.25   0.5
        miles

Esnèh

LOUXOR / LA NÉCROPOLE
THÉBAINE / LA VALLÉE DES ROIS

Qena

Qen

Temple de Séthi Ier
et Ramsès II

Temple
ptolémaïque

Grand temple
d'Amon

Temple de
Ramsès III

Temple d'Osiris

Lac sacré

Temple
d'Aménophis II

KARNAK

Temple de
Ramsès III

Lac sacré
Temple de Mout

Shari El-
Matar

Guichet
(temple et tombes)

N I L

Corn Phe (e l Nil)

Shari Nabad

Car
ferry

Mosquée
Abou el-Haggag

Shari Bur El al

Shari
Ahmos

Shari Salah

Salem

Shari Mustafa

Shari Camel

Clopatra

Shari El-
Mahatta

LOUXOR

Temple
de Louxor

St. Mohamed
Farid

Shari Salah

Esnèh

Shari El-
Salakhana

cupe la partie est de la cour de Ramsès II, derrière le pylône. Plusieurs églises coptes se sont jadis, partagées le territoire de cette enceinte. Au-delà de la cour, une gigantesque double colonnade conduit à la cour intérieure d'Aménophis III, plus ancienne.

Il est difficile d'imaginer que le temple de Louxor ait été un sanctuaire de second plan, mais le très impressionnant **temple de Karnak**, peut-être le plus important monument de toute l'Egypte pharaonique, vous en convaincra. Le **grand temple d'Amon** constitue le principal élément d'un vaste complexe de temples, lacs sacrés, chapelles et voies triomphales bordées de sphinx, qui longeait autrefois le Nil sur près de 3 km, de Karnak au temple de Louxor. Un siècle de fouilles archéologiques a permis de reconstituer bon nombre de monuments; mais la prolifération des édifices fut telle pendant les 1400 ans de grandeur thébaine que ces fouilles continuent encore de nos jours.

Le grand temple de Karnak a été érigé, modifié, puis agrandi selon l'humeur du pharaon régnant pendant plus de 2000 ans, de la période du Moyen Empire à l'époque romaine. Le **premier pylône**, tout de suite devant vous, a été en fait, le dernier à être élevé. Bien qu'étant le plus grand pylône de toute l'Egypte, il demeure inachevé, manquant d'évoquer la gloire de la dynastie ptolémaïque.

Derrière cette masse imposante, large de 12 m, s'étend la **cour** ouverte la plus vaste de toutes les cours des temples égyptiens (près de 8000 m^2). Situé sur la gauche après l'entrée, le petit temple de Séthi II (XIXe dynastie) se compose de trois chapelles jumelées. Le second temple, plus à droite, est l'œuvre de Ramsès III (XXe dynastie). La barque sacrée, symbole de la trajectoire parcourue par le soleil dans «l'océan céleste», était montrée sur un socle qui occupait le centre de la cour.

Le deuxième pylône, gardé par deux statues colossales de Ramsès II, dissimule la chambre funéraire la plus extraordinaire de toute l'Antiquité: la **grande salle hypostyle** aux 134 colonnes. Une quantité fabuleuse de peintures et de décorations est encore visible sur la partie haute des colonnes. Le lieu exige une halte si l'on veut apprécier les dimensions de cette «pièce» immense.

Le troisième pylône, situé directement derrière la grande salle hypostyle, date du règne d'Aménophis III (XVIIIe dynastie, 1400 av. J.-C.). La cour qui sépare le troisième pylô-

Les temples égyptiens

Bien qu'il ne se trouve pas deux temples tout à fait semblables, tous ont été érigés sur un plan identique. Une porte monumentale, ou pylône, ouvrait sur une cour à ciel ouvert; un deuxième pylône commandait une seconde cour; puis il y avait une salle dite hypostyle (au plafond soutenu par des colonnes). Une autre pièce semblable – parfois appelée chambre des offrandes – pouvait suivre. Finalement, on atteignait le sanctuaire, le «Saint des Saints», où «vivait» le dieu, vénéré des prêtres par des processions et des rites sacrés.

Le plan d'un temple se présentait généralement de la façon suivante:

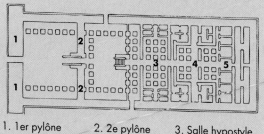

1. 1er pylône   2. 2e pylône   3. Salle hypostyle
4. Chambre des offrandes   5. Sanctuaire

ne du quatrième contenait quatre obélisques de granit, dont un seul subsiste. Mais l'obélisque que la reine Hatshepsout fit élever au-delà du quatrième pylône le dépasse encore par la taille. Les quatrième et cinquième pylônes, qui furent érigés par Touthmôsis I (XVIIIe dynastie) aux environs de l'an 1525, sont parmi les éléments les plus anciens du temple.

Au-delà du sixième pylône, s'élève le sanctuaire de granit qui abritait les barques sacrées; derrière celui-ci s'ouvre la section la plus ancienne du grand temple, le petit sanctuaire des barques sacrées, construit au cours du Moyen Empire.

Dans cette zone en ruine où les fragments de colonnes sont envahis par l'herbe haute, la plupart des constructions qui entouraient le temple sont aujourd'hui difficiles à identifier sans l'aide d'un plan détaillé. Mais, on ne peut manquer le **lac sacré** situé au sud du temple d'Amon. Lors des processions qui se déroulaient ici, les barques sacrées étaient mises à flot; ce rituel symbolisant le voyage céleste et quotidien du soleil, Amon-Rê.

En fin d'après-midi, visitez le petit **musée de Louxor**, au nord de l'hôtel Etap; passez au moins une demi-journée dans ce havre climatisé. A la différence de celles du Musée égyptien du Caire (voir p. 34), les collections du musée sont soigneusement sélectionnées et très bien présentées. La statue en basalte de Touthmôsis III (No 2) est particulièrement belle. Vous y admirerez également l'étonnant buste en grès d'Aménophis IV (No 53). Parmi les récentes découvertes, figurent un sphinx d'albâtre et les trônes des dieux Amon et Maât.

Le crépuscule demeure le moment idéal pour une promenade dans la ville moderne de Louxor; les rues marchandes sont encore animées sans être surpeuplées. A la tombée de la nuit, il fait bon s'arrêter à la terrasse d'un café sur la rive du Nil, notamment celui de l'hôtel Winter Palace.

La nécropole thébaine

La Vallée des Rois (voir p. 63) abrite les fabuleuses sépultures de nombreux grands pharaons thébains, y compris le tombeau relativement modeste de Toutankhamon. Mais la vallée n'est qu'une infime partie de l'immense «cité des morts». Si l'on compte les tombeaux des courtisans et des membres de la famille royale, le nombre total de sépultures de cette nécropole se chiffre par centaines. De plus, une douzaine de temples sont disséminés dans la Vallée des Rois. Consacrez au moins deux jours à ce site impressionnant.

Des bacs (à moteur) font régulièrement la navette entre l'embarcadère du Winter Palace, ou celui du Savoy, et la rive gauche du Nil. Achetez votre billet aller-retour sur la rive droite; les entrées pour les temples et tombeaux s'achètent au stand situé de l'autre côté. Taxis et ânes sont disponibles près des stands.

Une fois arrivé, armez-vous de patience, les tombeaux étant visiblement trop petits pour contenir tant de monde. Certaines tombes sont éclairées; dans d'autres, le gardien illumine l'intérieur à l'aide d'un ingénieux système de miroirs réfléchissants. N'oubliez pas que des restaurations sont parfois effectuées, rendant l'accès aux tombeaux impossible.

Partant du quai, une route coupe à travers les étendues irriguées, couvertes de cultures luxuriantes. Après avoir parcouru environ deux kilomètres et demi en direction de la montagne, on voit émerger de la brume de chaleur qui couvre les champs deux gigantesques silhouettes assises. Ce sont les célèbres **colosses de Memnon** (du grec «fils de l'Aurore»). Le temple qui les abritait a dû être détruit, il y a fort longtemps, par un tremblement de terre. Pourtant, ces deux imposantes figures assises du pharaon Aménophis III restent, plus de 3000 ans après sa mort, le témoignage le plus convaincant de la grandeur de ce souverain. Elles ont une hauteur de 18 m et chaque doigt atteint une longueur d'un mètre.

A l'ouest, s'élève un ensemble de temples désigné sous le nom arabe de **Médinet Habou**. Un mur de brique crue entoure deux temples qui se présentent comme une enfilade infinie de pylônes. L'édification du premier temple date de l'époque d'Aménophis I (XVIIIe dynastie). La comparaison de ce petit édifice gracieux avec celui, bien plus vaste, construit par Ramsès III (XXe dynastie) qui vécut 350 ans après Aménophis I est révélatrice. Si le temple de Ramsès fut construit d'une traite et si ses dimensions sont impressionnantes, il est malgré tout bien moins séduisant que le premier temple.

Depuis Médinet Habou, une route conduit directement à la **Vallée des Reines**. Près de 80 tombeaux ont ici abrité les dépouilles d'épouses et d'enfants royaux. Le No 55, celui du **prince Amon her-Khopechef** (fils de Ramsès III, XXe

dynastie), conserve de très belles fresques, aux bleus et aux jaunes d'une luminosité tout à fait étonnante. Les tombeaux du **prince Kamouast** (No 44) et de la **reine Thiti** (No 52), sans oublier le plus beau, celui de la **reine Néfertari** (femme de Ramsès II – No 66), sont également ouverts au public.

Parmi les pharaons, Ramsès II fut sans doute le plus grand des bâtisseurs.

Quittant la Vallée des Reines et revenant sur vos pas, vous prendrez la première route à gauche pour atteindre la nécropole de **Deir el-Médineh**. Parmi les centaines de sépultures mises au jour à l'intérieur et aux alentours du village actuel, le tombeau No 1 présente le plus grand intérêt. Il appartenait en effet à Sennedjem, haut fonctionnaire de la nécropole (XIXe dynastie); les couleurs des fresques religieuses qui le décorent sont restées d'une fraîcheur surprenante. En entrant, prenez garde à la marche et à votre tête. Le tombeau No 359, celui d'Inherkha (XXe dynastie) est décoré de peintures de ravissantes déesses aux yeux immenses.

Si les rois de la XIXe dynastie étaient des constructeurs ambitieux, aucun ne surpassa sur ce plan Ramsès II (1304-1237), dont les monuments imposants sont dispersés d'un bout à l'autre du pays. Son tombeau de la Vallée des Rois déçoit quelque peu, mais le temple funéraire qu'il fit ériger à sa propre mémoire, est aujourd'hui encore une réalisation architecturale sans rivale; il porte le nom de **Ramesseum**. Rassemblant jadis palais, temples et entrepôts, il n'est plus aujourd'hui que ruines. Cependant, les dimensions du temple restent impressionnantes. On pénètre dans la deuxième cour après avoir dépassé quatre piliers-statues du pharaon, représenté sous les traits d'Osiris. Au-delà de ces sculptures, de nombreux blocs de pierre éparpillés sur le sol constituaient à l'origine un colosse assis de plus de 17 m de haut pesant près de mille tonnes!

Derrière le Ramesseum, à flanc de colline, se trouvent la nécropole et le village de **Cheikh Abd el-Gournah**. Tous les tombeaux méritant d'être visités datent de la XVIIIe dynastie, l'apogée de l'art égyptien. La **tombe de Nakht** (No 52), astronome attaché au temple, décrit avec une profusion de détails la fertilité des terres arrosées par le Nil et l'abondance des récoltes. Dans le **tombeau de Menna** (No 69), les couleurs sont également ravissantes, bien que les reflets créés par le jeu de miroirs et des vitres protectrices contribuent à en atténuer l'éclat. Le **tombeau de Senéfer** (No 96), présente des peintures fort bien préservées, tel le charmant décor de vigne du plafond.

Le **tombeau de Rekhmara** (No100) est digne du gouverneur de la ville de Thèbes. Les fresques montrent des ambassadeurs étrangers apportant des cadeaux: girafes, léopards, babouins, ivoire, ébène, joyaux, vases et autres. Des peintures décrivent la vie quotidienne à Thèbes et les offrandes destinées au dieu Amon.

Le **tombeau de Ramose** (No 55), bien qu'inachevé, est aussi impressionnant que celui de Rekhmara. Les travaux de construction durent être abandonnés en raison de bouleversements religieux imposés par le pharaon régnant, Aménophis IV (Akhenaton). Les bas-reliefs du tombeau sont d'une beauté exceptionnelle. Des jeunes filles aux traits délicats et aux cheveux soigneusement tressés y ont été sculptées avec beaucoup de soin, mais le travail fut délaissé à ce stade. Le caractère de l'œuvre tient donc plus de la gravure que de la fresque. Quelques silhouettes sont cernées de noir, première étape du procédé pictural, et le contraste ainsi obtenu est d'une grâce remarquable.

Pour découvrir un aspect encore différent de l'art déployé par les artistes thébains, visitez le **tombeau de Khâemhat** (No 57), qui abrite lui aussi des représentations sculptées de son propriétaire et de sa famille. La tombe d'Ousirhat (No 56) mérite également une visite.

La puissance artistique caractéristique de la XVIIIe dynastie apparaît avec une netteté plus frappante encore dans les temples de **Deir el-Bahari**, à l'ouest de la route principale. Lorsque Touthmôsis II mourut en 1505 av. J.-C., son fils illégitime Touthmôsis III était trop jeune pour régner.

Hatshepsout, sa belle-mère, assura alors la régence, exerçant un pouvoir sans partage pendant 22 ans. Elle prit l'habitude d'arborer le sceptre et le fléau, symboles de l'autorité du pharaon, et alla même jusqu'à s'habiller et se comporter en homme, portant même lors des cérémonies la barbe symbolique traditionnelle. Ce n'est qu'à sa mort que Touthmôsis III put enfin accéder à la place qui lui revenait de droit. Son règne dura jusqu'en 1450.

Le **temple d'Hatshepsout** est unique en son genre. Construit en terrasses, et formidable par ses dimensions, il présente une façade aux puissantes colonnes qui se confondent avec le flanc cannelé de la montagne, en arrière-plan. Hathor est la déesse honorée en ce lieu, et nombre de fresques la représentent sous forme d'une vache sacrée. Les salles situées juste derrière la colonnade de la seconde terrasse contiennent des peintures bien conservées. Le plafond de la chapelle d'Hathor, à l'extrémité sud-ouest (gauche), est bleu, constellé d'étoiles, à l'instar du ciel égyptien; la salle est d'un jaune brillant comme le soleil.

Sur la route qui conduit à la Vallée des Rois, ne manquez pas de faire une halte à Gournah pour visiter le **temple de Séthi I** (XIXe dynastie), père de Ramsès II. Rien ou presque ne subsiste des deux premiers pylônes et des premières cours du temple, mais la seconde salle hypostyle est couverte de scènes représentant Séthi I et Ramsès II en train de porter des offrandes au dieu Amon.

La Vallée des Rois

La rive occidentale du Nil, rive où le soleil se couche pour poursuivre sa course dans le monde de l'au-delà, fut le lieu de prédilection des pharaons. C'est dans cette petite vallée austère et pierreuse, ne connaissant ni les crues annuelles du Nil, ni le regard indiscret des mortels, que les pharaons façonnèrent leurs tombeaux scellés du monde extérieur afin de bénéficier d'un repos éternel. Dans chaque tombeau, des meubles et costumes, des statues momiformes ou figures gravées destinées à tenir le rôle de servantes et de concubines, des aliments et boissons accompagnaient le voyageur céleste. Le «Livre des Morts» décrit de façon détaillée les dangers qu'il devait affronter.

Au terme de ce «périple», le défunt rencontrait le divin Osiris qui, assisté d'Anubis (dieu des Cérémonies funéraires) et de Thot (dieu de la Sagesse), rendait son jugement: le cœur du pharaon était pesé dans une balance dont le contrepoids était une plume; lorsque la balance ne penchait pas sous le poids du péché, le pharaon était admis au pays d'Osiris. Tel un serviteur d'Osiris, il était alors, lui et son temple funéraire, adoré par les membres de sa famille et ses loyaux sujets.

La tombe de Toutankhamon est de dimensions modestes, mais d'une somptuosité inouïe.

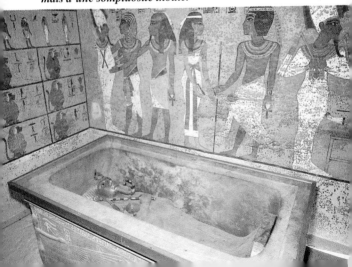

Dès son accession au trône, le souverain se donnait pour tâche première de faire exécuter son tombeau. S'il succombait avant l'achèvement de sa sépulture, il y était alors immédiatement «mis sous scellés», tandis que les meilleurs décorateurs et artistes du royaume attaquaient les travaux de la tombe royale suivante. Malgré la vigilance déployée au cours des siècles pour préserver ces tombeaux (l'entrée dissimulée restant ignorée de la plupart des vivants) l'ingéniosité des profanateurs de tombes devait finalement avoir raison du secret. Seul, un cénotaphe fut épargné: celui de Toutankhamon, découvert en 1922.

Remontez l'allée de gravier crissant qui conduit à la Rest-House et vous verrez se dresser la **tombe de Toutankhamon** (No 62). Il s'agit d'un tombeau de dimensions

Les hiéroglyphes

Lors de la fusion de la Haute et de la Basse-Egypte, 3000 ans av. J.-C., les Egyptiens avaient déjà mis au point un système scriptural composé de 24 pictogrammes, qui leur faisait office d'alphabet. Au cours des siècles, les prêtes et scribes allongèrent cette liste de quelque 700 signes. L'écriture hiéroglyphique tomba en désuétude vers la fin du IVe siècle de notre ère. De nos jours, les Coptes parlent encore l'ancien égyptien.

L'écriture sacrée resta mystérieuse jusqu'au jour où Jean-François Champollion, égyptologue français, en révéla la clé, grâce à la fameuse pierre de Rosette qui avait été découverte par un officier de l'armée de Bonaparte en 1799. Gravé en trois langues différentes, ce petit dictionnaire antique comprenait une version hiéroglyphique mentionnant les «cartouches» de Cléopâtre et de Ptolémée. Inscrits dans de nombreux tombeaux, Champollion n'eut aucun mal à les identifier. On apprit alors que les hiéroglyphes se lisent dans le sens où se dirige le regard des figurines.

modestes; Toutankhamon ayant succombé à un âge précoce, il y fut inhumé avant la fin des travaux. La somptuosité
dont témoigne la sépulture de ce petit souverain donne à
penser que les trésors arrachés de cette vallée austère furent
d'une richesse inouïe.

Les parois du tombeau en pierre de Toutankhamon sont
décorées de singes sacrés à l'air menaçant; quatre vierges
gracieuses, sculptées sur le sarcophage, devaient le protéger.

Dans le sarcophage, un cercueil doré renferme la momie
du souverain; le cercueil intérieur (entre autres), en or
massif ainsi que d'autres trésors sont, aujourd'hui, au
Musée égyptien du Caire (voir p. 34).

Parmi les plus de 60 tombeaux qui ont été mis au jour
dans la Vallée des Rois, une douzaine seulement sont ouverts au public. Sans doute le **tombeau de Séthi I** (No 17,
au sud de la Rest-House) est-il le plus beau de tous. Les
fresques des chambres et des couloirs en pente demeurent
d'une beauté et d'une fraîcheur éclatantes, bien qu'elles
aient plus de 3000 ans d'âge. La chambre la plus basse
contenait autrefois le sarcophage du souverain, en albâtre
(de nos jours propriété de la collection de Soane de Londres). La voûte de la salle funéraire, peinte en bleu, représente le ciel, le panthéon égyptien et des animaux dispersés
parmi les constellations. Cette tombe n'était pas terminée à
la mort du pharaon.

Revenez sur vos pas par le sentier menant au tombeau de
Séthi I, et restez sur la gauche pour rejoindre, non loin de là,
le **tombeau de Ramsès III** (No 11). La porte d'entrée, sur-
montée d'un disque solaire jaune d'or, s'ouvre sur un couloir sur lequel donnent quantité de petites chambres
latérales décorées d'illustrations insolites et intéressantes
illustrant les métiers, les travaux des champs et des scènes
de la vie quotidienne.

L'intérieur du tombeau de Séthi I est assurément l'une des plus belles splendeurs de la Vallée des Rois.

Le **tombeau d'Horemheb** (No 57), à deux pas à l'ouest du précédent, présente un intérêt particulier; en effet, ses peintures, exécutées sur fond sombre, se détachent de l'arrière-plan de façon saisissante.

Quittant le tombeau d'Horemheb, suivez le sentier occidental (à main droite), pour arriver au **tombeau d'Aménophis II** (No 35). Ses parois sont décorées de dessins au trait sur fond jaune, exécutés avec une très grande finesse, tandis que le plafond, bleu nuit, est couvert d'étoiles. Le sarcophage du monarque, magnifiquement travaillé, est toujours à sa place.

Il faut gravir un sentier, emprunter une échelle de fer et descendre un nouvel escalier avant de parvenir, par un minuscule couloir, au **tombeau de Touthmôsis III** (No 34). Ce sanctuaire est le plus éloigné au sud de la Rest-House. La décoration murale en est très simple et les couleurs furent ici utilisées avec une extrême économie de moyens.

De Louxor à Assouan

On remontera le fleuve jusqu'à **Esnèh** (**Esna**), à 60 km au sud de Louxor, où s'élève le **temple de Khnoum**, le dieu qui créa animaux et humains à partir de la terre fertile du Nil. Des siècles de vie quotidienne ont fini par hausser le niveau de la rue de 9 m par rapport à celui du temple. Des fouilles permirent de mettre au jour la salle hypostyle d'un sanctuaire datant de la XVIIIe dynastie, qui fut entièrement rebâti à l'époque ptolémaïque et romaine. De dimensions harmonieuses, il y manque cependant le raffinement des premières dynasties égyptiennes.

A mi-chemin entre Louxor et Assouan, la ville d'**Edfou** abrite le temple le mieux conservé de toute l'Egypte. Dédié à Horus, dieu du Soleil et des Planètes, le faucon (image du dieu) apparaît souvent dans les décorations. Ce dernier temple ptolémaïque fut terminé seulement quelques décennies avant l'avènement d'Antoine et de Cléopâtre. De la rive du Nil, une calèche vous conduira en quelques minutes jusqu'à l'enceinte du temple.

Le **temple d'Horus**, débuté par Ptolémée en 237 av. J.-C., présente un pylône immense, presque aussi imposant que celui de Karnak. La cour du sanctuaire est bordée de 38 colonnes. Une splendide statue d'Horus en granit monte la garde en avant de l'entrée de la première salle hypostyle. Partout, des hiéroglyphes représentent les offrandes faites à ce dieu. Au cœur du sanctuaire, un bloc de granit haut de 4 m est précédé d'un autre monolithe destiné à supporter la barque sacrée. Une copie de cette barque est exposée dans une salle située juste derrière le sanctuaire. Le temple d'Horus a conservé un plafond intact, contrairement aux autres temples maintenant à ciel ouvert. Ses chambres intérieures restituent l'atmosphère mystique d'autrefois.

Remontant le Nil, vous parviendrez au **temple de Kom Ombo**, surplombant le fleuve, et le seul temple qui soit dédié à deux divinités: Sobek (dieu-crocodile), et Haroéris (représentation d'Horus avec tête de faucon et disque solaire).

Le premier temple date de la XVIIIe dynastie, mais tout ce qui subsiste date du règne des Ptolémées (300 ans av. J.-C.).

Tout ici se présente par deux: des portes doubles conduisent à la grande cour et, une fois dépassées les deux salles hypostyles, on accède à un double sanctuaire. Sur la droite de l'entrée du temple s'élève la petite chapelle d'Hathor; elle renferme encore quelques momies de crocodiles dédiés au dieu Sobeck. Au nord de la cour du temple, un escalier de pierre en spirale descend jusqu'au Nilomètre situé au fond d'un puits circulaire.

Assouan

La ville d'Assouan (200 000 habitants) fut soudain réveillée au cours des années 60 par une équipe de 2000 ingénieurs soviétiques à la tête de 35 000 ouvriers. C'est ainsi que débuta la construction du grand **barrage d'Assouan** (Sad el-Aali) qui, par l'apport en électricité et le contrôle des crues du Nil, allait profondément modifier l'économie et l'agriculture nationales. Malgré les quelques bouleversements écologiques engendrés, les bénéfices de l'entreprise sont sans commune mesure avec ses inconvénients. Terminé en 1972, le barrage métamorphosa la ville, produisant un tiers de toute l'électricité en Egypte.

Assouan est aujourd'hui un centre industriel; on y transforme les métaux (fer et acier), on y produit des engrais chimiques, on y raffine du sucre. La ville a pourtant conservé le charme qui lui valut d'être un lieu de villégiature. De rapides felouques aux voiles blanches, tels de longs et gracieux oiseaux aquatiques, glissent sur les eaux du Nil. Des calèches

stationnent en permanence près des hôtels, prêtes à vous emmener faire une promenade parmi les eucalyptus, les citron-
niers et les palmiers. C'est à l'aurore que les collines dorées
du désert sont les plus belles, au moment où le chant des
oiseaux annonce le jour.

Prenez un taxi pour visiter le **haut barrage d'Assouan**,
situé à 10 km de la ville. Du monument en forme de fleur de
lotus commémorant la coopération égypto-soviétique, on
jouit d'une vue très belle sur l'ensemble architectural et le
lac Nasser; ce lac s'étend sur plus de 500 km au sud et, dépasse la frontière égyptienne, jusqu'au Soudan.

C'est l'extraction de la roche qui, à l'époque pharaonique, valut gloire et richesse à Assouan. En effet, le beau
granit rouge dans lequel on a taillé des sculptures colossales provient de cette ville; du centre-ville, un taxi vous
conduira en quelques minutes aux carrières. Un énorme
obélisque inachevé, brisé lors de la taille et abandonné là,
indique très clairement la façon dont ces monuments
splendides étaient arrachés au sol, puis polis jusqu'à pré-
senter le lustre du verre.

En Novembre 1997, le président égyptien, Hosni Mubarak
a présidé à l'inauguration du **musée Nubia** construit sur une
colline derrière l'hôtel Cataract. L'édifice de 3 étages est di-
visé en 17 salles d'expositions et propose des ateliers, une
bibliothèque, des laboratoires de photos et des activités édu-
catives. Le musée abrite une collection de 2000 objets ex-
cavés au moment de la construction du grand barrage ainsi
que 3000 objets en provenance des musées égyptiens, islamiques et coptes.

Louez une felouque pour rejoindre la rive occidentale du
Nil et vous rendre aux îles. Sur l'**île Eléphantine**, la plus
vaste, sont dispersés les vestiges du temple de Khnoum,
œuvre de plusieurs pharaons, jusqu'à l'époque ptolémaïque

et romaine. Le musée d'Assouan, qu'abrite une villa du début du siècle, est situé à proximité des ruines. Les marches taillées à même le roc, au-dessous de la villa, descendent jusqu'au Nilomètre où d'élégants indicateurs de niveau, exécutés en marbre, sont encore visibles.

L'**île Kitchener** voisine (appelée aussi île aux Fleurs) est aujourd'hui un jardin botanique. C'est, de tous les lieux de promenade d'Assouan, l'un des plus agréables qui soient. A l'extrémité méridionale de l'île, une étonnante cacophonie annonce à distance l'existence d'un centre de recherche sur les canards.

Sur les collines qui bordent la rive occidentale du Nil s'élève le **mausolée de l'Aga Khan** (1877-1957), chef des musulmans de la secte des ismaïliens. Etant tombé amoureux de la région, il s'était fait construire une villa à Assouan

(juste au-dessous du mausolée où il repose maintenant).

Partant du mausolée, un sentier sinueux mène à travers le désert jusqu'aux ruines du **monastère de Saint-Siméon**, une construction copte datant du VIIe siècle.

Au nord d'Assouan, sur la rive occidentale, s'étend un village nubien caractéristique; on y vit avec la len-

Prêtes à faire voile sur Assouan, les felouques attendent leurs passagers à l'île Eléphantine.

Le temple d'Isis, de Philae, rend hommage à la divinité égyptienne la plus populaire.

teur d'un autre siècle. Des jeunes filles vont remplir de lourds seaux dans un canal voisin, et dans les rues encombrées de chèvres, de canards et d'ânes, des gamins endiablés se déchaînent en jouant au football.

Au-dessus du village, les tombeaux de hauts dignitaires locaux creusés à même le roc, comportent d'intéressants fragments d'éléments ornementaux. Méfiez-vous des pigeons et des chauves-souris. La mieux préservée et la mieux décorée des sépultures de l'endroit est celle de Sirenpout I (XIIe dynastie). C'est la momie de dame Sirenpout qui accueille les visiteurs, du regard froid de ses orbites creuses, dans la pénombre du tombeau.

Ces tombeaux sont parmi les plus anciens d'Egypte et la visite de cette nécropole offre, en outre, une belle vue sur la ville d'Assouan et sur le Nil.

☞ Les temples de Philae

Assouan possède également ses grands temples pharaoniques. Menacés de destruction lors de la construction du haut barrage, ces temples (du moins les plus importants d'entre eux) furent reconstitués en des lieux plus sûrs.

Les temples de l'île de Philae étaient déjà partiellement submergés lors du premier barrage achevé début 1900. Ils furent menacés d'engloutissement total par la réalisation du second barrage. Un effort d'envergure internationale fut entrepris par l'UNESCO, et permit aux temples d'être aujourd'hui reconstruits sur l'île d'Agilkia, à 300 m au nord de leur site d'origine.

Le **grand temple d'Isis**, qui florissait au temps du Christ, est l'un des sanctuaires les plus imposants et les plus remarquables de l'île. Le **mammisi** (temple de la fécondité honorant l'enfant Horus) et le **temple d'Hathor** sont plus spécialement magnifiques le soir, au cours du spectacle son et lumière.

Kalabchèh

Autrefois situés à quelque 50 km au sud d'Assouan, les monuments du **temple de Kalabchèh** ont été remontés sur la côte occidentale du lac Nasser, à un kilomètre du barrage. Accessible en taxi puis en bateau, le **temple de Mandoulis** fut construit durant la période romaine. A gauche de l'entrée de celui-ci, le joli petit **temple de Kertassi** possède des chapiteaux qui figurent le visage de la déesse Hathor (représentée sous forme de vache humaine). Derrière le temple de Mandoulis se trouve celui de **Beit el'Ouali**, dont les parois sont décorées de scènes militaires évoquant les victoires de Ramsès II.

Abou-Simbel

Parmi les plus grandes révélations que réserve l'Egypte au visiteur, après la première vue des pyramides (voir p. 37) ou la majesté de la salle hypostyle de Karnak (voir p. 57), il n'en est pas qui soit plus émouvante que celle qui l'attend face aux quatre statues colossales de Ramsès II à Abou-Simbel. Si possible, passez la nuit sur place pour assister au lever du soleil sur la façade du temple.

Ici, aux confins de la Haute-Egypte, Ramsès II fit édifier un temple en son honneur, et en l'honneur de Harma-

Le silence éternel et la beauté infinie du temple d'Abou-Simbel ne manqueront pas de vous bouleverser.

khis (le gardien des portes de l'au-delà), d'Amon-Rê (dieu solaire) et de Ptah (dieu de la Création). Les **quatres figures colossales**, d'une hauteur de 20 m, sont à l'effigie du pharaon. Ses filles et son épouse sont agenouillées à ses pieds. Admirez, au-dessus du portail, la figure en haut-relief d'Amon-Rê. Une rangée de cynocéphales (symboles de la Sagesse), assis, décore la corniche supérieure de la façade. D'énormes statues, représentant Osiris sous les traits de Ramsès II, sont adossées à l'intérieur du temple. A maints endroits, les bas-reliefs montrent les offrandes faites aux dieux, les campagnes militaires, le sort impitoyable réservé aux captifs. Tout au fond du sanctuaire, quatre statues taillées à même le roc: Ramsès II et les trois divinités auxquelles le temple était consacré. A la perfection des réalisations de Ramsès font écho les grands travaux de restauration menés, à l'instigation de l'UNESCO, par une firme suédoise (1968-1972). A droite de la façade, un passage conduit à l'intérieur de la montagne artificielle édifiée pour abriter le temple.

Le gardien, portant le gigantesque *ankh* (symbole de vie) qui est la clé du sanctuaire, vous laissera entrer dans le petit **temple d'Hathor**. Quatre des statues de la façade figurent Ramsès II, tandis que les deux autres représentent Néfertari, son épouse, sous l'aspect de la déesse Hathor. La décoration intérieure est essentiellement consacrée aux éléments féminins du panthéon égyptien, mais, ô surprise, Ramsès II y est toujours présent. Hathor, sous les traits d'une vache bienveillante, règne dans les profondeurs du temple.

LES OASIS

Le désert égyptien est parsemé d'oasis situées au-delà de la rive occidentale du Nil. Après les bousculades dans les musées, la foule et le trafic, les oasis, verdoyantes, au milieu d'un désert n'ayant que le ciel étoilé pour compagnon, vous permettront de jouir de moments de contemplation bien mérités. En l'an 525 av. J.-C., les conquérants Perses tentèrent en vain de pénétrer les mystères du désert, y perdant toute leur armée. De nos jours, un 4x4 vous y conduira en toute sécurité.

A l'ouest de Louxor, **El-Khârga** est le chef-lieu d'une région connue sous le nom de Nouvelle Vallée. Accessible en voiture ou en avion, cette ville de 50 000 habitants sert de tremplin à toute expédition dans le désert. Le cimetière de **Bagawat**, situé sur les dunes au nord de la ville, abrite de splendides tombeaux en forme de coupoles, datant du Ve et du VIe siècle. Plus loin se cachent les ruines du **monastère fortifié de Moustafa Kashif**, du nom d'un gouverneur musulman ayant utilisé ce lieu pour collecter les impôts. Retournant vers la ville, vous trouverez le **temple d'Hibis**, débuté en 568 av. J.-C., achevé sous l'occupation perse de Darius et transformé sous les règnes ptolémaïque et romain.

La route à l'ouest d'El-Khârga passe par une série de formations rocheuses impressionnantes avant d'atteindre l'**oa-**

SUEZ, LE SINAÏ ET LA MER ROUGE

MER MÉDITERRANN

ISRAËL

Alexandrie
Damanhûr
Port Saïd
Gaza
Rafah
El-Arish
Beersheba
Pelusium

NÉGUE

El-Alamein
Zagazig
Ismailiya
Wadi el-Arish
JORDANI

Wadi el-Natrûn
Guizèh
LE CAIRE
Suez
Tunnel Ahmed Hamdi
Port Tawfik
Sources de Moïse
Nakhl

Birket Qârûn
Râs el Sudr
Sudr
Elath
Aqaba
Taba
Ile Pharaon

El-Fayoum
Hammam Pharaon (bain du Pharaon)
SINAÏ
Nuweiba

Abou Rudeis
Wadi Faran
Monastère Sainte-Catherine
ARABIE SAOUDIT

Minia
Wadi Sannûr
Ste-Catherine
Mt. Catherine (2,642m)
Mt. Sinaï (2,285m)
Dahab

Wadi el-Tarfa
El-Tûr

Nil
EGYPT
Sharm el-Cheikh
Ra's Muhammad

DÉSERT ORIENTAL

DÉSERT OCCIDENTAL

Assiout
Hourghada
MER ROUGE

Sohâg
Nil
Port Safaga

Farâfra, Mout
El-Khârga
Qena

Oasis El-Khârga
Louxor

Esnèh
Edfou
Assouan, Lac Nasser

Aéroport
Autoroute
Voie principale
Marais
En-dessous de 200m
Au dessus de 200m
Au dessus de 1000m

0   160 km
0   100 milles

sis de Dakhla. Ces sculptures aux formes de sphinx ou de chameaux portent des inscriptions préhistoriques, et il est bien difficile de juger si ces rochers furent l'œuvre de la main de l'Homme ou des vents de sable.

Dans la ville principale de Dakhla, visitez le petit **musée de Mout**, aménagé en maison islamique traditionnelle.

Le charmant petit **village de Balat**, à l'est de la ville principale en direction d'El-Khârga, possède des ruelles étroites et une série de tunnels agréablement frais qui mènent d'une maison à l'autre; au détour d'une rue, vous rencontrerez les anciens du village étudiant le Coran à l'ombre d'une cour ombragée. Vous serez toujours le bienvenu et l'on vous offrira certainement un thé à la menthe.

Cette oasis en plein milieu du désert est appréciée pour ses jardins verdoyants et ombragés. Les vergers, arrosés de sources d'eau vive, sont couverts d'arbres de toutes sortes: pommiers, manguiers, abricotiers, mandariniers et oliviers.

Plus au nord, le petit **village de Farâfra**, avec ses rues dégagées et ses vieux puits en brique, est entouré d'adorables jardins ombragés et de vergers où abondent oranges, goyaves et abricots. Le village est célèbre pour ses courses de chameaux et pour ses safaris en direction du **désert blanc**, immense étendue de «sable» de craie blanche, où se dressent des monolithes ressemblant à des géants ou à des animaux monstrueux. Munissez-vous de couvertures et de vêtements chauds vous permettant ainsi de faire l'expérience d'une nuit dans le désert; le coucher du soleil, la voûte étoilée, l'aube seront autant d'instants magiques qui resteront à jamais gravés dans votre mémoire.

LA MER ROUGE

Nombreux sont les touristes qui, après les multiples découvertes de la vallée du Nil, souhaitent se retirer dans un lieu paisible. Parmi les 1600 km de côte longeant la mer Rouge, la station balnéaire d'**Hourghada** s'est développée rapidement (vol direct de Louxor, du Sinaï et du Caire; une liaison par autobus, confortable, traverse le désert oriental au départ de Qena et du Caire). Vous y trouverez d'excellents hôtels, des villas et de longues plages de sable fin. Les **sports nautiques** y sont particulièrement développés, allant de la plongée au tuba à la pêche en haute mer. En ville, dans le **souk** animé, les bédouins vendent des objets artisanaux traditionnels, et l'**aquarium** vous donnera une juste idée sur les espèces marines de la région. Malheureusement, le rapide développement touristique à Hourghada durant les 20 dernières années a engendré d'énormes problèmes de pollution pour les coraux et la beauté sauvage de la région.

En remontant la côte, on arrivera à **Safâga**, ancien port de commerce et de pêche, transformé aujourd'hui en station balnéaire. Les sports nautiques et les fruits de mer y sont excellents.

L'ISTHME DE SUEZ ET LE SINAI

Depuis le traité de paix signé avec Israël, l'isthme de Suez et le désert du Sinaï sont rouverts au tourisme et offrent un vaste choix d'activités, tant spirituelles (le mont Sinaï et le monastère Sainte-Catherine), que de détente (les plages de Sharm el-Cheikh et de Taba). Un vol régulier assure la liaison Sharm el-Cheikh–Le Caire; vous pouvez également utiliser la route passant par le canal de Suez. Des bus sont également disponibles sur la place Abbasiya au Caire.

Port Saïd

Fondé au XIXe siècle durant la construction du canal de Suez, Port Saïd était perçu, à cette époque, comme la «porte de l'Est» situé, comme il l'était, à l'extrémité nord du canal.

Les navires de croisières y faisaient escale. De nos jours, la ville est un point stratégique contrôlant les échanges commerciaux entre la mer Rouge et la Méditerranée. Bombardée à maintes reprises en temps de guerre, la ville fut reconstrui-

Le canal de Suez

L'idée d'un canal reliant la mer Rouge à la Méditerranée remonte au temps des pharaons. Il était alors question d'effectuer une liaison par le Nil ou par l'isthme est du delta. Certaines inscriptions ont révélé qu'il existait, sous le règne de Sethi Ier (1312-1290), un canal joignant le Nil à la mer Rouge.

Un oracle de mauvais augure contraignit Nécho II (600 ans avant notre ère) à abandonner les travaux de construction du canal. Un siècle plus tard, les Perses de Darius entreprirent d'autres travaux reliant Ismaïlia au Caire. Le temps reboucha le canal, qui fut restauré par l'empereur romain Trajan aux environs de l'an 100 de notre ère. Quelque sept siècles plus tard, sous le règne des califes, il n'en restait plus aucune trace.

Les ingénieurs de Napoléon furent les premiers à envisager un canal longeant le lit du golfe de Suez, mais abandonnèrent les travaux, trop onéreux. Ferdinand de Lesseps, consul français au Caire, finit par persuader Saïd Pacha et ses successeurs de la nécessité du projet; mais ce n'est qu'en 1869 que le canal fut ouvert à la navigation. L'impératrice Eugénie de France présida à son inauguration en compagnie de l'Autriche et de la Prusse – l'Angleterre devant joindre le traité six ans plus tard. Le président Nasser abrogea ce dernier en 1956.

Le canal de Suez fut fermé jusqu'en 1958, et à nouveau de 1967 à 1975, avant d'être rouvert par le président Sadate.

Vous serez à l'abri des foules sur les pentes solitaires de l'impressionnant mont Sinaï.

te et bénéficie aujourd'hui d'un statut de zone franche. Les Egyptiens exercent leurs talents de commerçants dans le souk, offrant toutes sortes de nouveautés électroniques venues du Japon, de Corée et de Singapour.

Rendez-vous sur le port pour assister au spectacle des longs-courriers s'engageant dans le canal de Suez. Le **musée national de Port Saïd** a répertorié une importante collection de plus de 10 000 objets d'art, allant des périodes prédynastiques, pharaoniques, aux périodes gréco-romaines, coptes et islamiques.

Ismaïlia

Située à mi-chemin du canal de Suez et à 120 km au nord-est du Caire, la luxuriante **Ismaïlia** (du nom du gouverneur d'Egypte, le khédive Ismaïl), sur la rive occidentale du **lac**

Timsah, a conservé un certain charme colonial. Vous pourrez y naviguer le long de belles plages, faire de la planche à voile et flâner le long du **quai Méhémet-Ali**. Le musée local abrite la collection privée de Ferdinand de Lesseps (voir p. 79) et est fier de la colonne de granit érigée ici par Darius, son prédécesseur perse, indiquant qu'un canal reliant la mer Rouge au Nil existait déjà en ces temps reculés.

La ville de Suez

Sévèrement touchée au cours des guerres israélo-arabes, la **ville de Suez** fut reconstruite de façon harmonieuse, conciliant la verdure aux plages agréables qui longent la baie de Suez. Sur le port, flottent des drapeaux de toutes les nationalités, et pendant l'été, la ville accueille une procession colorée de fidèles en pèlerinage vers La Mecque.

Port Tawfik, sur la rive opposée, est l'endroit où les cargos entrent et sortent du canal de Suez. Le promontoire qui surplombe l'embouchure du canal était destiné à recevoir le piédestal de la statue de Ferdinand de Lesseps; il fut lestement escamoté lorsque les Français tentèrent de s'emparer de Suez en 1956.

La côte ouest du Sinaï

A 12 km au nord de la ville de Suez, le **tunnel Ahmed Hamdi** (héro égyptien de la guerre contre Israël en 1973) marque l'accès à la côte occidentale de la péninsule du Sinaï.

Les débris d'avions de combat et de chars sont encore visibles sur la route côtière menant vers le sud. On raconte que Moïse et son peuple auraient emprunté cette route lors de l'Exode d'Egypte. Selon la tradition, c'est à **Ayoûn Moûsa** (les sources de Moïse), à 45 km au sud du tunnel, que le prophète accomplit le miracle de faire jaillir de l'eau pour son peuple assoiffé. De nos jours, le puits a bien triste mine, entouré comme il est de quelques palmiers et de Bédouins cherchant à vendre leurs bibelots.

Poursuivant 80 km vers le sud, **Hammam Pharaon** (bain du pharaon) est une source chaude sulfureuse se répandant sur la plage à une température de plus de 72°C. Soyez prudent et regardez où vous mettez les pieds!

Sainte-Catherine et le mont Sinaï

Le monastère Sainte-Catherine est accessible par avion, mais la route, partant de la côte occidentale pour se diriger vers l'est à partir des puits de pétrole d'Abou Rudeis, est plus attrayante, avec ses montagnes violette, jaune et rouge s'estompant pour céder place au vert de l'**oasis Ouadi Fâran**.

Du haut de cette montagne de 1570 m d'altitude, le **monastère** (grec orthodoxe) **Sainte-Catherine**, érigé sous l'ordre de l'empereur Justinien en l'an 527, projette son ombre sur une étroite vallée. C'est là que Moïse aurait écrit les Dix commandements.

Près du portail de l'église monastique, une **mosquée** datant du Xe siècle fut construite par le sultan, afin que l'on vénère les deux religions à part égale. L'église byzantine possède une collection d'**icônes** et de **mosaïques**. Une douzaine de moines vivent encore ici et l'accès à la précieuse bibliothèque et au trésor monastique est de ce fait interdit. Visitez le **jardin**, où poussent cyprès et oliviers, cerisiers, pruniers et abricotiers. L'**ossuaire**, quelque peu macabre, regroupe les crânes et ossements de moines (seuls les squelettes des archevêques étaient gardés intacts); l'un d'entre-eux, saint Etienne, porte encore son costume de moine, du VIe siècle.

Personne à ce jour n'a pu localiser l'emplacement exact du **mont Sinaï**. Certains pensent qu'il s'agit du Gebel

Mousa (mont Moïse, 2285 m), d'autres du Gebel Katherina (mont Catherine, 2642 m) tout proche ou encore de toute autre montagne avoisinante.

Tâchez, coûte que coûte, de gravir le Sinaï avant le lever du jour. Habillez-vous chaudement et emportez une boisson chaude. Vous n'oublierez jamais cette vision du soleil se levant sur le Sinaï.

Sharm el-Cheikh

Les théologiens supposent que ce lieu fut jadis le site d'Ophira, d'où le roi Salomon transportait l'or destiné à son trône. Mais pour tous les amateurs de plongée sous-marine, la pointe sud de la péninsule du Sinaï est l'un des plus beaux fonds marins du monde. Les plongeurs inexpérimentés pourront aussi approcher les coraux et les poissons exotiques de la mer Rouge grâce aux cours donnés sur place dans la majorité des stations balnéaires.

Les monts du Sinaï touchent la côte et les superbes plages de sable fin sont autant de délices dont vous pourrez jouir, dès le lever du soleil.

Au sommet de la presqu'île du Sinaï, le **parc national Ra's Muhammad** et ses superbes criques vous réservent l'ultime aventure sous-marine. N'oubliez pas qu'il est interdit de toucher aux espèces marines.

La côte orientale

Longeant la côte orientale du Sinaï vers le nord, vous trouverez d'autres stations balnéaires en plein essor, et notamment celles de **Dahab**, **Nuweiba** et de **Taba**. Cette dernière, située à la limite de la frontière israélienne, possède de très bons hôtels (voir p. 136). Au sud de Taba, située sur le golf d'Akaba, la pittoresque **île Pharaon** abrite la forteresse reconstruite du grand sultan Saladin, datant du XIIe siècle.

QUE FAIRE

LES ACHATS

Le Bazar **Khan El-Khalili** est renommé au Caire et dans le monde entier pour ses innombrables boutiques proposant toutes sortes d'objets artisanaux. Là, comme ailleurs, vous devrez marchander, mais vos efforts seront récompensés par une baisse étonnante du prix initial. Un guide ou un interprète pourra vous aider dans vos achats, mais il s'attendra alors à une commission pour chaque article acheté. Visitez aussi les boutiques des petites allées, qui affichent des prix souvent très avantageux.

Nous vous indiquons ci-après un certain nombre d'articles méritant d'être achetés en Egypte, au souk Khan el-Khalili ou dans les magasins et bazars pour touristes des autres villes:

Albâtre: le nom de cette pierre provenant de la vallée du Nil et travaillée, notamment à Louxor, serait le dérivé du nom d'une ville égyptienne. Statuettes, boîtes à cigarettes, vases, etc., le choix ne manque pas.

Antiquités: l'achat en Egypte de bijoux et autres objets de l'époque pharaonique, naguère possible, est maintenant interdit par la loi. Si vous êtes pris à l'aéroport, porteur de telles antiquités, vous encourrez des peines sévères. En revanche, les copies abondent dans les boutiques des musées.

Articles en cuir: les sacs à main et sacoches sont vendus à des prix raisonnables, d'autant plus abordables si vous marchandez le prix et arrivez à une somme satisfaisante; avant d'acheter, assurez-vous toutefois de la bonne finition de l'article. Certains bazars vendent des selles pour chameaux, bien difficiles à trouver hors d'Egypte. Cependant, avant de faire cet achat, demandez-vous si votre chameau a réellement besoin d'une nouvelle selle…

Bijoux: les bijoux en or et en argent sont souvent vendus au poids, leur prix variant légèrement selon la finesse de l'exécution. Le choix est grand: des reproductions de parures pharaoniques, telles que celles du trésor de Toutankhamon, aux bijoux arabes ou contemporains. Les pierres précieuses et semi-précieuses sont également vendues au poids, à

Les cotonnades égyptiennes constituent presque toujours un très bon achat.

des prix avantageux. Mais avant de vous décider, faites le tour des échoppes.

Bois sculpté: les articles en bois d'Egypte sont parmi les plus beaux du monde. Les moucharabiehs, écrans aux dessins ajourés d'une grande finesse et complexité, servaient autrefois à couvrir jalousement les fenêtres, afin de protéger les femmes de la maison des regards indiscrets.

Ecrans et paravents sont vendus à des prix abordables, mais pensez aux problèmes de transport au retour. Achetez plutôt une petite boîte en bois de cèdre ou de santal, incrustée d'ivoire, d'ébène ou de nacre. Si vous avez encore de la place, offrez-vous un échiquier ou une petite table.

Cotonnades: le coton égyptien, aux fibres longues, est l'un des tout premiers du monde. C'est sur le commerce de cette matière que Méhémet-Ali a établi son pouvoir. Des chemises et autres articles, sur mesure, sont exécutés en quelques jours, concurrencés, bien entendu, par le prêt-à-porter. Les *gallabiyas*, longues robes égyptiennes amples et

Le bazar de Khan el-Khalili déborde d'une activité toujours frémissante.

confortables, conviennent tant aux hommes qu'aux femmes. Il en existe de plusieurs tailles et qualités, les tissus bruts étant moins chers que ceux plus souples et davantage soignés.

Cuivre et laiton: on entend tinter, d'un bout à l'autre de la rue Khan el-Khalili, les marteaux des orfèvres sur cuivre. Graver des arabesques sur un petit plateau demande une journée et demie de travail. Les objets plus anciens tels les plateaux, les services à café turc et les samovars sont généralement les plus beaux. Les articles plus récents, exécutés dans les mêmes matériaux, sont souvent moins chers et tout aussi attrayants.

Tapisseries: les motifs séduisants exécutés par les enfants de El-Harraniye (un village sur la route de Saqqarah) peuvent constituer de belles décorations murales ou d'élégantes nappes. Les formats sont variables, mais ce sont généralement les couleurs et les motifs qui détermineront votre choix. Un authentique tapis d'El-Harraniye est souvent cher; vous pourrez en trouver des imitations pour un prix nettement plus abordable mais, ils laissent souvent à désirer.

LE FOLKLORE ET LES FETES

Les fêtes font sortir tous les Egyptiens dans la rue; on les voit alors défiler en longues processions, se promener le long du Nil, envahir parcs et jardins. Les foules s'amassent autour des bateleurs, lutteurs, danseurs et chanteurs.

Les Egyptiens ont une prédilection pour une sorte de combat qu'ils appellent **El-Tahtib**: deux hommes se font face à l'intérieur d'un cercle, chacun brandissant un bâton au-dessus de sa tête; chaque combattant, sur le qui-vive, attend l'occasion de toucher l'adversaire. Un quart de seconde d'inattention et c'est chose faite; cependant, d'une façon générale, l'assailli a le temps de parer le coup et les deux armes se rencontrent avec fracas.

Le spectacle se présente tel un rituel gracieux et lent. Si, par contre, un vieux maître affronte un jeune homme impulsif et inexpérimenté, on entend les coups pleuvoir dru. Ici, force et agilité ont moins d'importance qu'expérience et vigilance, et le vieil homme finit toujours par apprendre quelques bonnes passes au novice.

Le folklore et la musique de Haute-Egypte diffèrent énormément du folklore arabe du Caire et du Delta. Les **Nubiens** ont un langage qui leur est propre (bien que parlant aussi l'arabe) et leur musique traditionnelle frappe par ses accents orientaux.

Les Egyptiens célèbrent toujours les principales **fêtes islamiques traditionnelles**. La fête du Printemps, le **Cham en-Nessim**, a lieu le lundi qui suit la Pâque copte. «Celui qui respire le premier zéphir du printemps, dit la légende, jouira d'une bonne santé d'un bout à l'autre de l'année»; aussi tous les Egyptiens sont-ils dehors ce jour-là.

Une autre fête, qui a pour nom **Mouled en-Nabi**, est le jour anniversaire de la naissance du Prophète. A cette joyeuse occasion, une gigantesque procession défile à travers les rues en liesse du Caire, tandis que des manifestations semblables, mais de taille plus modeste, se déroulent dans les autres villes égyptiennes.

Le **ramadan** est une période de 30 jours correspondant au neuvième mois du calendrier lunaire musulman. Pendant tout ce mois, les musulmans pratiquants observent un jeûne rigoureux du lever au coucher du soleil. La règle est stricte: ni nourriture, ni boisson, ni tabac, ni même le droit de lécher un timbre-poste à partir des premières lueurs du jour. En outre, moins d'heures sont consacrées au travail.

Au coucher du soleil, les tables sont couvertes de plats spécialement préparés pour l'*iftar* («déjeûner») du soir. Sont dispensés du jeûne: les enfants, les femmes enceintes, les voyageurs et les infirmes. Mais tous, pratiquants ou non, bénéficient de la réduction généralisée des heures ouvrables. Les hôtels et restaurants pour touristes respectent les mêmes habitudes d'un bout à l'autre de l'année, mais certains cessent de servir des boissons alcoolisées pendant le ramadan.

Le **Ramadan Baïram** (Aid el-Fitr) conclut ce mois sacré. Durant trois jours, on échange cadeaux, confiseries, cartes de vœux et visites amicales.

Courbam Baïram (Aid el-Adha) est peut-être la plus sacrée de toutes les fêtes musulmanes. Elle a lieu au milieu du mois de Zou'l Hegga, à l'époque du *Hajj*, le pèlerinage à la Mecque. A l'occasion de cette fête de 4 jours, qui commémore le sacrifice d'Abraham, les familles musulmanes immolent un bélier, conformément à la loi coranique. La viande est cuite et une fête réunit la famille, les amis et quelques pauvres.

Autrefois, au mois d'août, les festivités se succédaient au Caire. Lors de la crue annuelle du Nil, la progression des eaux, indiquée par les **Nilomètres**, était régulièrement transmise au Caire par des messagers. Lorsque le fleuve avait atteint un certain niveau, tous les canaux étaient ouverts et l'eau déversait sur les champs le limon fertile. Mais aujourd'hui, il y a le haut barrage d'Assouan… Les fêtes du mois d'août ne sont donc plus aujourd'hui que d'assez pâles réplique de ce qu'elles étaient jadis.

Le **Festival du film**, créé au Caire en 1977, remporte un énorme succès populaire au Moyen-Orient. Nombreux sont les pays qui y présentent leurs films primés; durant une semaine, ceux-ci sont projetés dans les meilleurs hôtels. Le Festival a lieu, habituellement, au mois de décembre.

LES SPORTS

Le Caire et Alexandrie sont pourvus de nombreux clubs sportifs auxquels les touristes peuvent adhérer, quelle que soit la durée de leur séjour.

En plein centre du Caire, l'île de Guézira offre des dizaines de courts de tennis, une piste de course à pied, un terrain de golf, des courts de squash et des terrains de hand-ball, plusieurs piscines et différentes autres installations sportives. Toutefois, à cause du grand nombre de postulants, certains clubs restent très exclusifs, les critères d'admission étant sévères et la cotisation annuelle élevée.

Il existe d'autres clubs, toutefois, où l'on peut s'inscrire pour une brève période: entre autres le Yacht Club du Caire, les clubs sportifs d'Héliopolis et de Maadi, et les clubs de golf et de tir de Mena. Votre hôtel pourra vous fournir le nom des clubs ouverts au public.

Sports nautiques: gardez-vous de nager dans le Nil. Allez à l'une des plages d'Alexandrie ou sur le rivage méditerranéen (voir p. 43).

Les amateurs de plongée sous-marine ne risquent pas de regretter leur séjour.

Les piscines de la plupart des grands hôtels sont accessibles aux non-résidents, moyennant une cotisation.

Hourghada et Port Safâga, sur la rive égyptienne de la mer Rouge, sont pourvues de nombreux hôtels et plages; ces stations balnéaires offrent en outre de superbes conditions pour la **plongée sous-marine.** Retenez principalement les centres de plongée de Nuwaiba et Dahab, sur le golfe d'Akaba, et Sharm el-Cheikh, au bord de la mer Rouge.

Pêche: les centres de vacances de la mer Rouge et de la côte longeant le Sinaï offrent des locations de bateaux équipés pour la pêche en haute mer. De nombreux hôtels vous offrent des installations de barbecue, qui vous permettront de griller votre prise au bord de la plage.

Equitation: on pourra louer une monture à l'heure ou à la journée, avec ou sans guide. Les tarifs sont très raisonnables pour peu que l'on sache marchander. La piste la plus intéressante est celle qui conduit des écuries des pyramides de Guizèh à celles d'Abusir et de Saqqarah. A Louxor, le chameau est un très bon exercice pour ceux ou celles souhaitant visiter les tombes et temples de la Vallée des Rois.

Il est possible aussi de ne rien faire et de s'abandonner à la délicieuse fraîcheur à l'ombre d'un parasol.

SPECTACLES ET LOISIRS

Spectacles son et lumière

La splendeur des pyramides (voir p. 37) est encore exacerbée la nuit, dans la lueur des projecteurs. Un commentaire, ponctué de musique symphonique, émane d'on ne sait où. Le spectacle est donné en plusieurs langues dont le français (renseignez-vous au préalable quant aux horaires), et vous pouvez acheter vos billets sur place ou vous joindre à un tour organisé. Des spectacles privés peuvent être réservés.

A Louxor, le spectacle se tient au grand temple d'Amon à Karnak (voir p. 52). Pour une bonne partie du spectacle, vous devrez rester debout, et tout jeune enfant, personne âgée ou simplement fatiguée, pourra trouver le spectacle éprouvant à la fin d'une rude journée. A Assouan, un autre spectacle se déroule aux temples de Philae (voir p. 73). Prévoyez une lampe de poche et n'oubliez pas de vous habiller chaudement car les nuits sont fraîches.

Cinéma

Les journaux en langue française et anglaise donnent la liste des films visibles au Caire, parfois projetés en version anglaise ou avec sous-titres en anglais. Réservez vos places à l'avance (une heure ou plus), surtout le vendredi et le samedi soir.

Boîtes de nuit

Les grands hôtels présentent chaque soir des spectacles de variété avec danses et chansons à l'occidentale, suivis de musique égyptienne. Lorsque l'on est dans l'ambiance, une danseuse du ventre fait son apparition, exécutant des mouvements sinueux au rythme d'une musique endiablée. Puis la danse traditionnelle reprend ses droits.

Pour pouvoir pénétrer dans la plupart des night-clubs, il faut en être membre ou payer un droit d'entrée. Vous y entendrez les derniers hits, et une danseuse du ventre et son orchestre oriental se joindront à la soirée.

L'avenue des Pyramides est le quartier chaud de la ville du Caire; les couples en quête de romantisme se contenteront du centre-ville.

Opéra

L'Opéra du Caire, qui date de 1988, fut officiellement offert à la ville par le gouvernement japonais. Le bâtiment comprend plusieurs galeries d'art qu'il est intéressant de visiter (voir p. 33). Les représentations nationales et internationales ont lieu d'octobre à mai. Une tenue de soirée est exigée.

Casinos

En Egypte, seuls les étrangers sont admis dans les maisons de jeux (prohibés par la religion islamique) et seules les devises étrangères y sont acceptées comme mise de jeu. Un passeport est exigé. La plupart des hôtels de luxe abritent des casinos.

Les restaurants longeant le Nil portent parfois le nom de «casino», mais ne soyez pas dupe; au Moyen-Orient, un «casino» désigne aussi un établissement riverain, snack-bar ou cabaret, où le jeu n'a pas sa place.

Cirque national

Le Cirque national d'Egypte, qui fit ses débuts avec l'aide des artistes de cirques soviétiques, est depuis un certain temps déjà, acclamé et hautement considéré au même titre que le barrage d'Assouan. Clowns, acrobates et animaux participent à des représentations dans le quartier d'Agouza, au Caire, et se produisent aussi à Alexandrie en été, pendant les mois de juillet et d'août.

LES PLAISIRS DE LA TABLE

Dans un pays à l'histoire aussi longue, il est fascinant de penser que la gastronomie dont se régale le visiteur de l'Egypte contemporaine était déjà connue au temps des pharaons. Comme autrefois, on déguste les poissons de la Méditerranée et de la mer Rouge, les produits de la vallée du Nil, les moutons du delta, le bétail, le gibier, les pigeons et les canards, les céréales et les légumes tels qu'ils sont représentés sur les fresques. Mais l'histoire contemporaine a également eu un impact sur l'art culinaire égyptien et on remarque çà et là des traces des campagnes et occupations diverses: italienne, turque, française et anglaise. Le tourisme n'a en outre pas manqué d'introduire snacks et *fast-foods*.

Dans votre hôtel, le **petit déjeuner** est de style continental, composé de café ou thé, pain grillé ou pain frais, beurre

Cet éventaire de fruits frais et exotiques, dans un quartier populaire du Caire, vous fera venir l'eau à la bouche.

et confiture, mais pourra être complété par du fromage blanc salé et, le cas échéant, par un jus de fruit.

Le **déjeuner** est le principal repas de la journée, bien que de nombreux hôtels servent un copieux dîner plutôt le soir. Vous déjeunerez entre 13h et 15h, les Egyptiens mangent plus tard.

Dans les familles égyptiennes, le **dîner** n'est générale-ment pas servi avant 22h, voire plus tard. Et pendant la pé-riode du ramadan (voir p. 87), ces habitudes alimentaires sont complètement chamboulées.

La cuisine égyptienne

Les hôtels sont susceptibles de servir une cuisine plus in-ternationale qu'égyptienne, mais ne manquez pas de savou-rer quelques plats locaux. De nombreux restaurants proposent le *mezzeh* – salades locales, fromage et raisin avec, parfois, de la viande. Hors-d'œuvre idéal pour un groupe d'amis, il peut également constituer un repas léger à lui tout seul.

On peut également commencer par de la *molokheyya*, une soupe de légumes à base de bouillon, assaisonnée d'ail, de poivre et de coriandre, que l'on mange souvent avec du riz et du poulet. Les Egyptiens raffolent du *foul*, savoureux ragoût de haricots aromatisé de tomates et d'épices; on le sert en général avec de l'huile et un filet de citron ou avec du *taa-meyya*, une sorte de beignet composé de ces même haricots auxquels on a ajouté des légumes, du persil et des épices. Les *makhallal*, ou *torchi*, légumes conservés dans du vinai-gre aux épices, sont fréquents sur les tables égyptiennes.
Pain: sans levain ou *pitah* – celui que l'on mange dans tout le Moyen-Orient; on le sert notamment avec le *laban zabadi* (yaourt) ou la *tahina* (purée de graines de sésame) ou sa va-riante, le *baba gannoug* (*tahina* accompagnée d'une purée d'aubergines cuites au four, assaisonnée d'ail et de citron).

Viandes: certains restaurants servent une spécialité: le *kabab*, brochettes d'agneau ou de mouton marinées avec des épices et grillées au charbon de bois. Le *kofta*, sorte de *kabab*, est fait de viande d'agneau hachée épicée. Il est servi sur un lit de persil ou de feuilles de coriandre fraîches. Les Egyptiens ont une prédilection pour le pigeon. La volaille, partagée en deux, est grillée ou farcie et servie avec du riz.

Fruits de mer: en provenance de la Méditerranée ou du lac Nasser, ils sont frits à la poêle ou en beignets, quelquefois avec une pincée de cumin. Les grosses crevettes d'Alexandrie, en brochettes, également grillées au feu de bois, sont appréciées des gourmets.

Salades: servies avant et avec le plat principal; elles se composent de betteraves en saison, de tomates et de concombres, relevés d'un filet de citron ou de vinaigre. Aux salades vertes sont parfois mêlées les feuilles poivrées de *gargir*.

Fromages: fortement salés, ils favorisent sans doute la rétention d'eau, souhaitable dans un climat désertique, mais le palais du gourmet n'y trouve pas son compte. L'Egypte importe cependant beaucoup de fromages étrangers.

Fruits: on n'est jamais déçu par les fruits frais du delta; bananes, oranges, figues, raisins, goyaves et mangues. Il existe de nombreuses variétés de dattes, la plupart bien différentes de celles sèches et sucrées.

Les glaces exquises ne manquent pas et sont très appréciées en Egypte.

Pâtisseries: très nombreuses en Egypte, elles sont souvent d'origine turque et incroyablement sucrées. Si vous lisez sur la carte *omali*, commandez ce gâteau au lait, raisins secs et noix de coco. Divin lorsqu'il est bien préparé! Essayez le *baklawa*, feuilleté fourré de noix et de miel. L'*atayéf*, une variante servie durant le ramadan, se compose de beignets sucrés ou salés et fourrés au fromage. Le *mahallabeyya* est un gâteau de riz aux noix.

La cuisine européenne

Dans les hôtels égyptiens, la cuisine locale est souvent absente du menu et remplacée par la cuisine «internationale»; seuls les meilleurs hôtels ont, toutefois, un chef étranger.

Dépendant de toutes sortes de facteurs, les mets peuvent donc se révéler fades, corrects ou, quelquefois, sublimes. Les hôtels et restaurants proposent une large variété de recettes, allant de la cuisine chinoise, indienne, japonaise et italienne jusqu'à la cuisine française (en général prétentieuse et chère). (Voir aussi notre liste de restaurants recommandés, entre les pages 137 et 143.)

Les boissons

Les musulmans ne boivent pas d'alcool, même si de nombreux Egyptiens boivent avec plaisir un verre de bière; l'interdit religieux se traduit en revanche par une très grande popularité des **boissons sans alcool**. Nombre de marques «occidentales» sont fabriquées sous licence en Egypte, y compris les versions *light*.

Vous n'aurez aucun mal à vous procurer de l'**eau minérale**: elle est très bonne et se vend en bouteilles de marques locales ou françaises. Les **jus de fruits** frais se trouvent également un peu partout. Goûtez au moins une fois au *karkadé*, infusion rouge foncé de pétales d'hibis-

L'atmosphère des restaurants égyptiens est très conviviale, et il vous arrivera d'échanger des recettes avec le patron.

cus, agréablement aromatisée, servie légèrement sucrée. Délicieuse boisson froide au petit déjeuner, elle est aussi servie chaude. C'est une boisson très courante en Haute-Egypte, où pousse la plante qui sert à sa préparation. Le jus de canne à sucre est également une boisson délicieusement parfumée et peu coûteuse.

Dans le delta du Nil, on cultive la vigne depuis la nuit des temps. Les restaurants des hôtels servent tous du vin, mais la carte est réduite, voire suspendue pendant les fêtes religieuses musulmanes. Parmi les vins rouges, l'Omar Khayyam et le Château (ou Kasr) Gianaclis sont des vins relativement doux, qui contiennent une bonne dose de tanin. Le Pharaons a moins de bouquet et, en outre, est légèrement plus sec. Les vins blancs, souvent meilleurs, ne sont jamais servis assez frais. Parmi eux: le Nefertiti, le Cleopatra et le Gianaclis Villages.

Quant au rosé, faites-vous servir du Rubis d'Egypte, en insistant pour qu'il soit glacé. Les vins locaux ont un goût assez particulier, mais le vin de table importé, quand il est proposé, peut aisément faire doubler l'addition.

Les grands hôtels et les bons restaurants proposent quelques marques de **bières** d'importation, mais les prix en sont relativement élevés. La «Stella» est une bière blonde agréable et brassée localement; la Stella Export est considérée comme meilleure, mais elle coûte beaucoup plus cher que son homologue.

L'**alcool** égyptien est distillé à partir de jus de raisin ou de jus de dattes. Le *zibib* constitue la version égyptienne du pastis; quant à la vodka de fabrication locale, elle est tout à fait buvable. Les bars des hôtels de luxe et des principaux restaurants servent essentiellement les spiritueux et alcools de marques internationales.

Thé et café turc

Boire un café en Egypte peut être un problème, en effet, le **café** est souvent mal préparé et on peut lui préférer le café instantané. L'expresso est correct, mais la meilleure solution reste le **café turc**. Il est servi au moindre prétexte: un hôte égyptien qui omettrait d'offrir du café à ses visiteurs (même s'il s'agit d'une courte visite) manquerait gravement aux lois égyptiennes de l'hospitalité.

Le café turc vous sera proposé *mazbout* (moyennement sucré), *zeyada* (très sucré), ou *sada* (sans sucre). *Arrihah* signifie que votre tasse contient un soupçon de sucre. Mais pratiquement, on ne sait jamais très bien à l'avance ce que l'on va recevoir, étant donné que l'*arrihah* d'un cafetier sera le *mazbout* de l'autre.

Le **thé** (*chay*) est très populaire et rafraîchissant; dans les cafés arabes, il est servi avec des feuilles de menthe fraîche. Les Egyptiens prétendent que celles-ci favorisent la digestion et donnent de l'énergie.

INDEX

Informations pratiques

A

AEROPORTS

L'aéroport du Caire possède deux terminaux situés à 3 km l'un de l'autre et à 20 km environ au nord-est de la ville. Le terminal 1, l'ancien, dessert Egyptair et d'autres lignes égyptiennes ainsi que la plupart des lignes arabes, africaines et celles en provenance du Moyen-Orient et d'Europe de l'Est. Le plus récent terminal 2 dessert les lignes américaines et européennes.

Vous n'avez pas encore d'argent égyptien? Allez vite «faire du change» pour le pourboire du porteur et les taxis. Si vous n'avez pas demandé votre visa avant de partir, sachez qu'il n'est pas trop tard pour le faire (voir DOUANE ET FORMALITES D'ENTREE).

Gardez votre appareil photo bien caché. La photographie est interdite dans les aéroports. En cas de difficultés, contactez le bureau d'information touristique, situé dans le hall des arrivées (vers la porte de sortie). On vous y aidera, au besoin, à trouver un logement.

Prenez vos dispositions pour votre retour au moment où vous organisez votre voyage. Respectez les consignes données par votre agence et, dès votre arrivée en Egypte, confirmez vos réservations pour les différentes étapes de votre séjour ainsi que pour votre retour. Le nombre de vols au départ du Caire est insuffisant par rapport à la demande; ne l'oubliez pas si vous voulez être assuré d'une place dans l'avion.

Prévoyez qu'il vous faudra un temps considérable – deux heures minimum – pour vous dégager de la circulation démente, au Caire, et être à l'heure à l'aéroport. La navette s'effectue en taxi, en voiture Misr et en autobus avec air climatisé. Il est recommandé de prendre un taxi collectif.

Les aéroports de Louxor, Alexandrie, Hourghada, Abou Simbel et Sharm el-Cheikh ont tous bus et taxis pour vous conduire au centre-ville et aux hôtels. L'ouverture du nouvel aéroport international d'Assouan est prévue pour juillet 1998.

AMBASSADES et CONSULATS *(séfará; konsoleyya)*

Belgique Ambassade et consulat: 20, rue Kamel el-Shenawi, Garden City, Le Caire; tél. (2) 354 7494

Canada Ambassade: 5, Midan Lel Saraya el Kobra, Garden City, Le Caire; tél. (2) 354 3110

France Ambassade: 29, avenue El-Giza, Guizèh, Le Caire; tél.(2) 570 3916

Consulat: 5, rue El-Fadl, près de Kasr el-Nil, Le Caire; tél. (2) 393 4316

Consulat: 2, place Ahmed-Oraby, Alexandrie; tél. (3) 483 5615

Luxembourg S'adresser à l'ambassade de Belgique.

Suisse Ambassade: 10, rue Abdel Khalek Saroit, Le Caire; tél. (2) 575 8133

ANTIQUITES

Quels qu'en soient les motifs, l'acquisition d'antiquités égyptiennes est strictement interdite.

ARGENT *(Voir aussi* DOUANE ET FORMALITES D'ENTREE*)*

Unité monétaire La livre égyptienne (LE) se divise en 100 piastres (pt). Les prix sont affichés de diverses manières; ainsi, 1,5LE, 1 500LE ou 150pt représentent le même montant: une livre et demie.

Billets de banque: 25 et 50 piastres; 1, 5, 10, 20, 50 et 100 livres.
Pièces: 5, 10, 20 et 25pt.

Horaires des banques De 8h30 à midi, du dimanche au jeudi. Toutes les banques sont fermées le vendredi et le samedi. Les bureaux de change situés dans les aéroports et dans le hall des hôtels ont des horaires particuliers pour répondre aux besoins des touristes.

Change Le change de devises étrangères dans un lieu autre qu'une banque ou un établissement autorisé, est illégal. Conservez soigneusement les bordereaux délivrés par les bureaux de change ainsi que

vos reçus et quittances, afin de justifier que vous n'avez pas changé
d'argent au marché noir et de pouvoir reconvertir l'argent égyptien
dans la monnaie de votre pays.

A l'aéroport du Caire, les bureaux de change sont situés avant les
guichets de contrôle des passeports (hall d'arrivée).

Cartes de crédit et chèques de voyage De plus en plus nombreux
sont les établissements qui honorent les cartes de crédit. Veillez à ce
que le montant à payer se trouve toujours en bas du document et que
votre signature soit toujours en dessous de la mention «pourboire».
Les hôtels et les banques acceptent volontiers les chèques de voyage.

POUR EQUILIBRER VOTRE BUDGET

Vous trouverez ci-dessous quelques exemples de prix moyens expri-
més en livres égyptiennes (LE), en piastres (pt) ou en dollars américains ($). Du fait de la pratique très répandue du pourboire et d'un
taux d'inflation élevé, ces données n'ont qu'une valeur indicative.

Aéroports Porteur (par bagage) 50pt. Location de chariot à bagages
1LE. Taxi (jusqu'au centre du Caire) 27LE, en voiture-navette 18LE.

Bateaux Location d'une felouque (à l'heure) 20-25LE au Caire, à
Assouan et Louxor. «Bus du Nil» 25pt jusqu'au Vieux-Caire, 2LE
jusqu'au barrage du Nil.

Location de voitures (kilométrage illimité) *Fiat 128*: $50-56 par
jour; *Fiat Nova Regata* (climatisation) $72-83 par jour; *Peugeot 505*
(climatisation) $86-117 par jour. Ajoutez $1,25 d'assurance person-
nelle par jour et 5% de taxe locale.

Cigarettes De marque égyptienne avec filtre 2LE pour 20, marques
étrangères 3,50LE.

Distractions Cinéma 2,50-5,50LE, discothèque 12-20LE, boîte de
nuit (avec repas mais sans boissons) 40-60LE.

Guides 10-15LE l'heure suivant la langue et le lieu.

Hôtels (chambre double avec bains, la nuit) Luxe $120-160,
1re classe $90-120, 2e classe $40-75, 3e classe $25-35. Service

(12%) et taxe municipale (14%) en sus. Petit déjeuner 12-18LE et plus par jour.

Repas et boissons Petit déjeuner continental 8-20LE, déjeuner /dîner (dans un bon établissement) 10-40LE, *foul* et *taameyya* 1,50LE, sodas en bouteille 1LE, café 1-1,50LE, bière locale 4LE, bière importée (en canette) 10LE, vin égyptien (en bouteille) 18LE, cocktail 33LE, eau minérale (1litre) 2,50LE.

Musées Admission 5-10LE.

Croisières sur le Nil De quatre à sept nuits $344-800 par personne (en cabine double).

Transports *Train*: Le Caire–Alexandrie 25-42LE, train touristique (en couchette) Le Caire–Louxor/Assouan 216LE par personne, repas inclus. *Avion*: Le Caire–Louxor $75, Assouan $103, Abou Simbel $164, Hourghada $80, Sharm El-Cheikh $85, Alexandrie $42.

B

BAKCHICH

Au Moyen-Orient, le pourboire prend des proportions démesurées, conséquence directe de l'essor de l'industrie touristique. Si les excursions sont inclues dans le prix de votre voyage, vous n'aurez généralement pas à donner de bakchich. Si vous visitez seul un tombeau de la Vallée des Rois ou demandez à pénétrer dans la salle au trésor d'une mosquée, une pièce de 50 piastres ou un billet d'une livre égyptienne sera à donner au guide. Ce pourboire est souvent leur seul salaire. Vous pouvez aussi payer en devises étrangères.

BATEAUX

Les felouques, ces embarcations romantiques qui font la navette sur le Nil, sont aussi pratiques que pittoresques et vous permettront de visiter la Vallée des Rois à Louxor ou les diverses îles à Assouan de façon décontractée. Vous pourrez louer une felouque et les services d'un batelier auprès de la ville ou du village, ainsi que sur le quai à proximité de chaque hôtel du Caire. Il est plus sage d'attendre Louxor ou Assouan pour votre promenade en felouque, car les prix sont souvent prohibitifs au Caire. Assurez-vous, avant de lever l'ancre, qu'il n'y a pas de malentendu sur le prix de la promenade, sa durée et le nombre d'arrêts prévus. (Négociez un tarif de groupe.)

Un bac («bus du Nil») dessert les rives entre le Vieux-Caire, au sud, et l'immeuble de la Télévision au nord. Repas et dîners sont organisés sur le Nil (voir RESTAURANTS) et de plus longues excursions sont également offertes (voir CROISIERES SUR LE NIL).

BLANCHISSERIE et TEINTURERIE *(ghacil, tandif bel bokhár)*

Les hôtels disposent généralement d'une blanchisserie et d'une teinturerie. Le service est rapide: dans la journée et sans supplément, si les vêtements sont donnés à l'heure du petit déjeuner.

Il me le faut pour…   **aïezha…**

aujourd'hui/demain   **ennahárda/bókra**

C

CAMPING *(mo'askar)*

Ces installations sont en pleine expansion dans la vallée du Nil, les Oasis et la Méditerranée, la mer Rouge et les stations balnéaires du Sinaï. Contactez l'office du tourisme (voir p. 119) pour la liste des campings et leurs prestations.

CLIMAT et HABILLEMENT

Climat. Les mois d'octobre et de novembre sont les plus agréables en Egypte. Avril et mai sont également frais et plaisants, quoique plus imprévisibles. Les mois d'hiver peuvent être froids, bien que l'humidité de l'air soit très faible et la pluie quasiment absente (à l'exception d'Alexandrie et de la côte méditerranéenne). La majorité des hôtels et navires de croisières ont l'air climatisé. Il en est de même des trains et des autobus touristiques. Gardez cependant les excursions pour la matinée ou la soirée. Le Caire et le delta bénéficient d'un climat plus humide que Louxor et Assouan, tandis que les stations balnéaires de la côte méditerranéenne ou de la mer Rouge sont agrémentées d'une brise marine. Voici quelques températures moyennes enregistrées au Caire et à Alexandrie (en degrés C):

	J	F	M	A	M	J	J	A	S	O	N	D
Le Caire	14	15	18	21	23	27	29	28	26	24	20	15
Alexandrie	14	15	16	19	22	24	26	27	25	23	20	16

Habillement. Si vous visitez l'Egypte pendant les mois chauds – de mai à septembre – prévoyez des vêtements de coton légers et amples, un chapeau et des lunettes de soleil. Le coton égyptien étant d'excellente qualité, vous pourrez acheter quelques vêtements sur place.

En hiver (de novembre à mars), il peut faire chaud dans la journée mais étonnamment frais la nuit. Il est donc recommandé d'emporter un pull ou un châle et quelques lainages légers. Le désert est très frais la nuit durant toute l'année. Rappelez-vous que les hôtels et restaurants de 1re catégorie apprécient une tenue de soirée.

Les mosquées se visitent en pantalon et chemise pour les hommes; les femmes doivent également se couvrir les bras et les jambes. Oubliez vos chaussures à talon; l'Egypte se visite en sandales (aussi plates que possible) et en chaussures de marche à talon plat. Ne négligez pas cette question car, dans les sites archéologiques et les villes, le sol est pierreux et recouvert de sable. Chaussures solides et vêtements chauds sont indispensables si vous prévoyez de visiter le mont Sinaï.

COMMENT y ALLER

PAR AVION

Vols réguliers

Au départ de la Belgique Vous avez deux vols directs par semaine à destination du Caire en 4h30 environ; les autres jours, vous devrez changer à Amsterdam, Francfort, Londres, Paris, Rome ou Zurich.

Egypte

Au départ du Canada Il n'existe pas de liaison directe entre Montréal et le Caire. Tous les vols européens assurent la liaison entre Montréal et le Caire. Comptez, selon la correspondance, de 15 à 19h de voyage.

Au départ de la France *Paris–Le Caire*: il y a jusqu'à quatre vols directs quotidiens en 4h20 environ. *Province–Le Caire*: De Nice, il existe un vol hebdomadaire en 3h35 environ; de Lyon ou Marseille, le mieux est de transiter par Paris.

Au départ de la Suisse romande Vous avez, presque chaque jour, un vol Genève–Le Caire en moins de 4h.

Il est parfaitement possible de voyager en avion de ligne tout en bénéficiant d'une intéressante réduction. *Europe–Egypte*: les enfants de 2 à 12 ans voyagent à moitié prix. Les jeunes de 12 à 21 ans et les étudiants de 26 à 31 ans ont également droit à un tarif spécial. Il existe par ailleurs deux tarifs excursion dont la validité respective est de 10 à 35 jours (applicable toute l'année) et de 10 à 14 jours (du 1er novembre au 12 décembre et du 6 janvier au 30 juin). *Canada–Egypte*: outre un tarif excursion valable de 14 jours à 3 mois, il y a un tarif APEX valable de 6 jours à 2 mois.

Vols charters et voyages organisés

Peu de charters atterrissent au Caire. Cependant, vous avez la possibilité, une fois par semaine au départ de Bruxelles, de Paris, de Lyon, de Nice ou de Genève, d'emprunter un vol régulier en vous joignant à un groupe. Il ne s'agit donc pas de vol charter, mais vous profitez de conditions particulièrement avantageuses. Signalons aussi, au départ de Zurich, des liaisons charter à destination du Caire, Hourghada, Louxor et Sharm El-Cheikh.

Vous partez du Canada? Il est également possible de bénéficier d'un vol de ligne avec tarif de groupe. Renseignez-vous toutefois: des charters desservent Le Caire au départ de New York.

Les voyages organisés sont de plus en plus nombreux, et présentent un avantage certain quant au logement (les hôtels étant souvent bondés en saison). Les prestations incluent généralement, outre le voyage en avion, l'hébergement dans un bon établissement, les transferts, la pension, les visites guidées, etc.

Si toutefois vous préférez voyager seul, sachez que les mois d'été sont les moins chargés (sauf à Alexandrie) et que tout est meilleur marché dans le secteur touristique. Enfin, vous pouvez combiner croisière en Méditerranée – ou sur le Nil – et séjour balnéaire.

PAR TERRE ET PAR MER

C'est la formule idéale pour les individualistes. Aller en Egypte avec votre voiture est chose possible, mais consultez au préalable la rubrique CONDUIRE EN EGYPTE. Il vous suffit de gagner un port de la Méditerranée: Venise et Le Pirée sont tous deux reliés à Alexandrie; en été, au moins un service hebdomadaire est assuré au départ de ces ports (compter 1 jour et demi à 2 jours de traversée). Plus irrégulières sont les liaisons par cargo depuis Livourne, Naples, Ravenne et Trieste. Si peu de car-ferries effectuent la traversée à destination d'Alexandrie, la plupart des bateaux réguliers assurent le transbordement des autos.

CONDUIRE en EGYPTE

N'emportez votre propre véhicule que si vous connaissez le pays sur le bout des doigts ou si votre soif d'aventure est plus forte que tous les tracas que vous risquez de rencontrer. Si la réponse est positive, il vous faudra être en possession:

•   d'un permis de conduire international;

•   des papiers de la voiture (carte grise, permis de circulation);

•   d'un carnet de passage en douane.

   Muni de ces documents, vous pourrez entrer en Egypte avec votre voiture sans avoir à payer de taxes ou à passer le permis de conduire égyptien. Vous devrez néanmoins contracter, dès votre arrivée, une assurance tiers-collision.

Conditions de circulation Les rues du centre-ville du Caire, encombrées en permanence, vous feront dresser les cheveux sur la tête. Seuls les Cairotes semblent assez habiles pour se glisser d'une

rue à l'autre et éviter les ronds-points dont personne ne semble res-
surgir. Ajoutez à cela l'insuffisance des parkings et vous compren-
drez qu'il n'est pas recommandé de conduire au Caire. En province,
les principales villes sont desservies par des routes carrossables,
mais pleines de surprises (charrues datant de l'ère pharaonique, piétons indisciplinés, animaux errants). Les panneaux de signalisation
sont généralement rares et incompréhensibles.

permis de conduire	**rókhsit alkiyáda**
police d'assurance	**bolisit alta'min**
Sommes-nous bien sur la	**houa da**
route de…?	**at-tarík li…**
Le plein, s'il vous plaît.	**imlá il tank min fádlak**
ordinaire/super	**ádi/soubar**
Veuillez vérifier l'huile/	**min fádlak chouf al zeit/**
les pneus/la batterie, svp.	**al ágal/al bataría**
Ma voiture est en panne.	**arabíyiti itattálit**
Il y a eu un accident.	**fih hádsa**

CROISIERES sur le NIL

N'hésitez pas à compléter votre voyage par une croisière sur le Nil.
De luxueux bateaux de croisière sont affrétés par certains hôtels;
quantité d'autres navires, moins somptueux mais très confortables, le
sont par des organisations de voyages en groupes, et leurs cabines
sont mises à la disposition des touristes par l'intermédiaire des
agences locales. En Egypte, ces cabines sont très demandées, aussi
convient-il de prendre ses dispositions le plus longtemps possible à
l'avance. La croisière normale débute à Louxor ou Assouan; le voyage entre ces deux points s'effectue en une durée de 5 à 8 jours et
comporte une escale auprès de chaque temple et site important. Des
croisières ont lieu également au départ ou à destination du Caire;
celles-ci se déroulent généralement en début et en fin de saison.

L'Association des hôtels égyptiens tient une liste de plus de 160 vaisseaux faisant l'aller-retour Le Caire–Assouan. Nous vous donnons ci-dessous la liste des principales organisations offrant des croisières (classées entre 2 et 5 étoiles); les tarifs varient en fonction des croisières.

Abercrombie & Kent: 5A, rue Bustan; tél. 765 432, fax 757 486

Croisières Nil Cataract: 26, rue Adan, Mohandessin; tél. 361 6231, fax 360 0864

Croisières Hilton: Nil Hilton, place Tahrir, Le Caire; tél. 578 0666, fax 574 0880

Crocodile du Nil: 41, rue Abdel Khalek Sarwad; tél. 391 4554, fax 392 8153

Croisières Oberoi: Mena House Hotel, Guizèh; tél. 383 3222, fax 383 7777

Croisières présidentielles du Nil: 13, rue Maraashli, Zamalek; tél. 340 0517, fax 340 5272

Croisières Nil Sheraton: 5, rue Shohadaa el Mohandesseen, Le Caire; tél. 305 5600, fax 305 1323

Sofitel Nile Scarabee: Cornish El Nil, Garden City; tél. 355 4481

D

DECALAGE HORAIRE

L'Egypte vit à l'heure GMT + 2, en avance d'une heure, par conséquent, sur l'heure de l'Europe centrale pendant l'hiver. On avance les montres d'une heure en été.

Le Caire	Montréal	Paris	Bruxelles	Genève
midi	5h	11h	11h	11h

DOUANE et FORMALITES d'ENTREE

Toute personne entrant en Egypte est tenue de se faire enregistrer au ministère de l'Intérieur. L'inscription se fait auprès du Mugamaa,

Egypte

place El-Tahrir, Le Caire, dans les sept jours suivant l'arrivée. Votre hôtel, agence de voyages ou hôte peuvent remplir pour vous cette **formalité indispensable**. Une inscription tardive se traduira par une amende et de sérieux ennuis avec l'Administration.

Il faut, en outre, être en possession d'un passeport en cours de validité et d'un visa de transit si le séjour n'excède pas sept jours, et d'un visa touristique pour un séjour d'un mois (renouvelable pour six mois). Les visas s'obtiennent auprès des consulats égyptiens à l'étranger, ou auprès du bureau des passeports du lieu d'entrée. Un certificat stipulant que vous avez été soumis à un test du **sida** est requis pour quiconque reste plus de 30 jours dans le pays.

Au moment du départ, s'il vous reste des devises, vous devrez les changer et produire les divers bordereaux que vous auront délivrés les bureaux de change au cours de votre séjour.

Voici un tableau des principaux produits que vous pouvez importer en Egypte et exporter vers votre pays en franchise:

	Cigarettes		Cigares		Tabac		Alcool		Vin
Egypte	200	ou	50	ou	250g		1l	ou	1l
Belgique	200	ou	50	ou	250g		1l	et	2l
Canada	200	et	50	et	900g		1,14l	ou	1,1l
France	200	ou	50	ou	250g		1l	et	2l
Luxembourg	200	ou	50	ou	250g		1l	et	2l
Suisse	200	ou	50	ou	250g		1l	et	2l

Contrôle des changes. On ne peut importer ou exporter plus de 1000LE en monnaie locale. Il n'existe aucune restriction à l'introduction ni à la sortie des devises étrangères, sous réserve d'en déclarer le montant à l'arrivée. La loi exige des touristes qu'ils signalent sur un formulaire l'argent qu'ils ont sur eux et le fassent viser à la douane; en cas de doute au sujet de votre situation, réclamez-le, s'il ne vous a pas été remis. Au moment du départ, s'il vous reste des devises, vous devrez reproduire ce formulaire.

E

EAU *(máyya)*

Selon un dicton, les visiteurs qui ont bu de l'eau du Nil, même en quantité infime, sont assurés de revenir en Egypte. Malgré tout, ne buvez jamais directement de cette eau! A Assouan, à Louxor et au Caire, l'eau du robinet, puisée dans le Nil, est passée par des stations d'épuration; si elle a parfois un goût, elle est tout à fait potable.

Il est encore plus sage de boire une eau minérale en bouteille. La *Baraka*, marque locale dont le nom signifie en arabe fortune et prospérité, est coproduite par la société française Vittel. Personne ne trouvera à redire si vous quittez le restaurant ou la salle à manger de l'hôtel avec la bouteille d'eau que vous aurez entamée à table.

Je voudrais de l'eau minérale.	**aïez' máyya ma'daneyya**
gazeuse/non gazeuse	**gazzíyya/áada**
Cette eau est-elle potable?	**el máyya di lil shórb**

ELECTRICITE

La quasi-totalité du territoire égyptien est alimentée en 220 volts 50 hertz mis à part Alexandrie, Heliopolis et Maadi, où le courant est en 110 volts 50 hertz. Les prises ont deux embouts circulaires, comme en Europe. Les chambres sont souvent pourvues de bougies pour parer aux éventuelles coupures de courant. A signaler également une tendance au dévoltage.

ENFANTS

Le climat peut être un problème pour les enfants de moins de 10 ans. Contentez-les grâce à de courtes excursions, évitez les marches prolongées en empruntant un chameau ou un âne. Au Caire, visitez une fabrique de papyrus et montrez-leur comment sont peints les hiéroglyphes. En vous rendant aux pyramides de Guizèh, vous ferez un détour par le Jardin zoologique – accessible par le pont de l'Université (El-Gamaa) – pour voir des animaux d'Egypte et du Soudan. En leur promettant de voir une momie, vous n'aurez aucun mal à les entraîner au Musée égyptien.

Les promenades en calèche et en felouques à Louxor et Assouan combleront leurs rêves d'aventure. Les sculpteurs d'albâtre près de la Nécropole de Thèbes, les jardins botaniques et les temples de Philae, le grand barrage d'Assouan sont autant de merveilles qui les attendent.

Pensez à réserver un hôtel avec piscine et passez quelques jours au bord de la mer Rouge, au Sinaï ou sur la Méditerranée.

G

GUIDES et INTERPRETES *(dalíl)*

Seuls les guides agréés par le ministère égyptien du Tourisme sont autorisés à faire visiter les sites archéologiques. Pour obtenir un tel cicérone, vous vous adresserez à votre hôtel ou à une agence de voyages; vous avez intérêt, dans un cas comme dans l'autre, à notifier par écrit vos souhaits et le montant que vous êtes disposé à verser pour ce service. Les guides vous seront très utiles pour visiter la Vallée des Rois ou les mosquées du Caire.

Nous voudrions un guide	**aízin dalíl bil lógha**
parlant le français.	**el-faransaoui.**

H

HORAIRES

Magasins Au Caire, les commerces ouvrent de 9h à 19h en hiver, et de 9h à 20h en été. Toute l'année, le lundi et le jeudi, ils ferment une heure plus tard. La sieste est sacrée, et les boutiques gouvernementales sont closes tous les jours de 14h à 17h. D'une façon générale, et bien qu'il n'y ait pas de règle fixe, ces trois heures sont un mauvais moment pour faire les achats. Khan El-Khalili ferme à 20h. Durant le ramadan, les heures et les jours de fermeture ne sont pas bien définis. Quelques magasins ferment le vendredi, la plupart le dimanche, alors que certains restent ouverts jusqu'au petit matin. Les pharmacies ferment tard le soir.

Musées (au Caire) La plupart sont ouverts tous les jours de la semaine.

Grands musées De 9h à 17h avec une interruption de 11h30 à 13h30 le vendredi.

Petits musées De 9h à 13h, le vendredi de 9h à 11h30 en hiver; en été, certains musées du Caire ferment à 14h30.

Pendant le Ramadan, ces heures d'ouvertures peuvent être écourtées.

HÔTELS et LOGEMENT (Voir aussi CAMPING, CROISIERES SUR LE NIL et HOTELS RECOMMANDES)

Les chambres sont attribuées en priorité aux organisateurs de voyages. Visiter l'Egypte en voyage organisé et s'en remettre à une agence pour toutes les réservations est une très bonne formule. Si vous voyagez individuellement, faites vos réservations longtemps à l'avance et veillez à vous les faire confirmer avant le départ. Sachez qu'à l'arrivée, il vous faudra systématiquement réclamer votre chambre, les hôtels ignorant quelquefois les réservations individuelles, quels que soient les justificatifs que vous puissiez produire. La compétition est grande durant la saison hivernale (décembre-avril). Les stations balnéaires d'Alexandrie et de la Méditerranée sont surpeuplées en été et désertes de novembre à avril.

Hormis le choix sans cesse plus étendu d'hôtels de première catégorie, la flambée immobilière de ces dernières années s'est concrétisée par la création d'une large gamme d'hôtels moyens au Caire, à Louxor, sur la mer Rouge et dans le Sinaï.

Les tarifs hôteliers sont indiqués en dollars américains. La note peut être réglée avec une carte de crédit ou en livres égyptiennes; dans ce cas vous devrez montrer votre récépissé bancaire.

Auberges de Jeunesse (*beït shabáb*)
Les auberges de jeunesse des grandes villes offrent aux étudiants et aux non-étudiants une villégiature à un prix très modéré. Le confort varie d'une auberge à l'autre, les meilleures étant souvent pleines. Il

est recommandé de réserver longtemps à l'avance, par courrier. Pour toute information, adressez-vous à:

Association égyptienne des Auberges de Jeunesse, 1, rue El Ibrahimy, Garden City, Le Caire; tél. 354 0527; fax 355 0329.

Les principales auberges de jeunesse sont:

Le Caire   Al Manyal, 135, rue Abdel Aziz al-Saud, Manyal; tél. 364 0729; fax 368 4107.

Alexandrie Nouvelle Auberge El-Shatbi, 23, rue Port Saïd, Shatbi; tél. 597 5459

JOURS FERIES

Les fêtes religieuses musulmanes sont jours fériés en Egypte. Si une fête islamique dure plus d'une journée, magasins et bureaux sont fermés le premier jour seulement; par la suite, ils observent des horaires réduits. Pendant le mois du ramadan, tandis que les musulmans jeûnent durant la journée, les horaires sont limités dans les bureaux. Les commerces restent ouverts très tard le soir. Les fêtes religieuses (chrétiennes) coptes ne sont pas des jours fériés, mais les magasins et sociétés coptes peuvent fermer à cette occasion. Le calendrier copte est d'ailleurs différent du nôtre (grégorien): par exemple, Noël est toujours célébré le 7 janvier.

Fêtes laïques

1er janvier	*Nouvel an* (banques uniquement)
Premier lundi après	*Sham En Nessim*
les Pâques coptes	(Fête nationale du printemps)
25 avril	*Jour du Sinaï*
1er mai	*Fête du Travail*
23 juillet	*Fête de la Révolution*
6 octobre	*Jour de l'Armée*

Fêtes religieuses

Le calendrier islamique est lunaire; aussi les fêtes musulmanes tombent-elles 10 ou 11 jours plus tôt chaque année par rapport au calendrier grégorien. Selon le calendrier musulman, la journée commence au coucher du soleil. Aussi, si l'on vous dit que demain est fête religieuse, sachez que les célébrations débuteront aujourd'hui à la tombée du jour. Les commerces sont fermés la veille et les restaurants ne servent en général pas d'alcool les jours ou veilles de fêtes.

L

LANGUE

La langue officielle est l'arabe, et l'arabe parlé en Egypte est très largement considéré comme la langue de référence du monde arabophone, au sein duquel on distingue des dizaines de dialectes. En général, le personnel des grands hôtels parle plus ou moins l'anglais et le français, langues souvent comprises dans la rue.

Vous trouverez, sur la couverture de ce guide, quelques expressions utiles en langue arabe, ainsi qu'un vocabulaire gastronomique.

Bonjour/Bonsoir	**sabah el kheir/masá'el kheir**
Au revoir	**ma'assaláma**
Merci	**chokran**
Parlez-vous français?	**bététkallém faransaoui?**

LOCATION de BICYCLETTES *(igar beskéletta)*

Il est possible de louer une bicyclette à Louxor, sur les deux rives du Nil. C'est un moyen agréable pour visiter les différentes tombes et ruines alentour. Le tarif horaire est bas, pour peu que vous sachiez marchander. On peut aussi louer des vélos auprès des hôtels de la mer Rouge et du Sinaï.

Combien coûte la location pour une journée?	**Bekám fil yom?**

Egypte

LOCATION de VOITURES

A l'exception, peut-être, des centres de vacances de Sharm el-Cheikh dans le Sinaï ou de Hourghada sur la mer Rouge, les touristes ne louent pas de voitures en Egypte. Il est préférable d'opter, avant votre départ et auprès de votre agence de voyages, pour une formule de location de voiture avec chauffeur comprise dans votre croisière. Si, pour des motifs particuliers, vous désirez louer sur place, sachez que la location se paie d'avance, soit avec une carte de crédit, soit en liquide. Le reste du temps, les transports en commun et les taxis sont plus économiques. Notez qu'il est interdit de passer la frontière dans une voiture de location.

M

MEDIAS

Journaux et Magazines

Les quotidiens internationaux ont généralement un ou deux jours de retard. Jetez un œil sur l'*Egyptian Gazette* (rédigée en anglais) ou sur son équivalent en langue française, afin de mieux connaître la position du gouvernement par rapport aux événements nationaux et mondiaux. *Cairo Today* est un mensuel très branché et attrayant.

Radio et Television *(rádyo; tilivísyon)*

Le Caire dispose de trois chaînes de télévision. La deuxième chaîne diffuse chaque jour des bulletins d'informations en anglais et en français. La plupart des hôtels ont des chaînes satellites comprenant au moins une chaîne française.

La station radiophonique multilingue d'Egypte émet de 7h à minuit, tous les jours, avec, dans le courant de la journée, des nouvelles et des émissions en français et en anglais. Les programmes sont publiés dans les quotidiens du Caire, *Le Journal d'Egypte*, l'*Egyptian Gazette* ou le *Progrès Egyptien*.

OBJETS TROUVES

Adressez-vous au responsable de l'hôtel ou du musée pour que vous soient aussitôt restitués les objets perdus ou égarés. Si vous avez oublié quelque chose dans le train, voyez le contrôleur ou, à l'arrivée, le chef de gare. Si c'est dans un taxi, contactez la police touristique, qui enregistre les allées et venues des taxis entre les hôtels et les lieux d'intérêt touristique.

OFFICES du TOURISME

Le ministère égyptien du Tourisme dispose de représentations dans toutes les grandes villes d'Egypte ainsi qu'à l'étranger. Ces bureaux distribuent brochures et cartes et fournissent toute information sur le pays. Il peuvent également vous aider à résoudre certains problèmes pratiques et possèdent une bonne documentation concernant les possiblités d'hébergement en Egypte.

Le Caire   Ministère du Tourisme, 5 rue Adly; tél. 391 3454 (bureaux à l'aéroport et aux pyramides)

Alexandrie Place Saad Zaghloul; tél. 807 985

Louxor   Rue du Nil; tél. 382 215

Assouan   Souk touristique ; tél. 323 297. Gare; tél. 312 811.

Offices du Tourisme en dehors d'Egypte:

Belgique et Se renseigner auprès du bureau de Paris
Luxembourg

Canada   1253 McGill College Avenue, suite 250, Montréal, Québec H3B 2Y5;

                 tél. (514) 861 4420, fax(514) 861 8071

France   90, avenue des Champs-Elysées, 75008 Paris; tél. (1) 45 62 94 42/3

P

PHOTOGRAPHIE et VIDEO

Les visiteurs ne sont autorisés à utiliser leur appareil dans aucun des grands musées égyptiens; souvent, ils sont même priés de le laisser au vestiaire. Il est pareillement interdit de prendre des photos à l'intérieur des tombeaux. Certains endroits autorisent la photographie moyennant une somme d'argent qui peut se révéler fort coûteuse pour les caméras vidéo. Ces interdictions doivent être respectées en raison de la fragilité des couleurs des monuments pharaoniques face aux flashes et et à la lumière.

Les lois égyptiennes imposent une taxe sur le matériel de photo et de vidéo. Toutefois, elle est rarement perçue, excepté s'il est question de très grandes quantités de matériel très cher.

Evitez aussi de prendre des photos des ponts, bâtiments publics, aéroports, ou autres endroits «stratégiques», et demandez la permission avant de prendre des photos dans les mosquées ou dans les églises.

Puis-je prendre une photo?　　　　**momkén ákhod soura**

POLICE *(bolís)* (Voir aussi URGENCES)

La police du Caire et d'Alexandrie porte un uniforme blanc en été, noir en hiver. En province, vous verrez souvent des policiers en kaki. Les officiers de la police touristique, dont certains connaissent une langue étrangère, portent l'uniforme habituel comportant un brassard vert et blanc, sur lequel figurent en lettres rouges les inscriptions «Police touristique» en anglais et en arabe. Leur présence est discrète dans les bazars et les sites historiques. On peut les contacter par l'intermédiaire de n'importe quel office du tourisme (voir p. 119).

Au Caire, la police touristique a son siège au 5, rue Adly; tél. 247 2584. Numéro pour Alexandrie, tél. 863 804. Numéro pour Louxor, tél. 821 20, Numéro pour Assouan, tél. 231 63. Le numéro direct au Caire: **126**.

POLITESSE

Les Egyptiens ont découvert il y a fort longtemps le pouvoir du sourire spontané et sincère. Lorsqu'un Egyptien vous rencontre, il vous salue souvent de la main droite avant d'échanger avec vous une poignée de mains. Néanmoins, les Egyptiens n'aiment pas faire étalage de leur vie privée ou montrer leurs sentiments en public. Sachez que le fait de se moucher au restaurant est une offense impardonnable.

Il est courant d'accompagner un marchandage ou une affaire d'une tasse de café ou de thé, et il est indispensable d'accepter; le fait de boire ne contraignant en rien votre décision finale.

L'Egypte est l'un des rares pays musulmans à accepter les non-musulmans dans les mosquées, sauf à l'heure des services et le vendredi (sabbath). On s'habille avec décence et discrétion pour en effectuer la visite, on ôte ses chaussures avant d'entrer (un préposé est là pour vous indiquer où les mettre). Soyez très discret si vous décidez de prendre quelques photos à l'intérieur et même à l'extérieur. Demandez la permission.

POSTES et TELECOMMUNICATIONS

Avec les services postaux égyptiens, il y a toujours un peu d'imprévu. L'acheminement des cartes postales, prises moins au sérieux que les lettres, peut demander des délais considérables. En cas de message important, il est préférable de télégraphier, de faxer ou de téléphoner. Et vous vous ferez adresser votre courrier à l'hôtel plutôt qu'en poste restante.

Les boîtes aux lettres sont d'une variété déconcertante et ont des couleurs indiquant un courrier express, par avion, ordinaire… en bref, remettez vos lettres à la réception de l'hôtel.

Horaires La poste centrale du Caire, située place Ataba, est ouverte tous les jours 24h sur 24 sauf le vendredi. Les autres bureaux de poste sont ouverts de 8h30 à 15h tous les jours sauf le vendredi.

Téléphone L'ensemble du réseau est en cours de modernisation et les liaisons téléphoniques se sont considérablement améliorées, en particulier au Caire. De nombreux changements de numéros ayant eu lieu à cette occasion, prenez soin de vérifier avant un appel ou composez le **140** ou **141** pour les renseignements.

Les téléphones publics ne sont souvent que de simples appareils complétés d'une boîte où introduire vos pièces. Vous en trouverez dans les tabacs, les magasins et les restaurants, vous laissant utiliser leurs lignes uniquement en province et payables d'avance.

Fax et Télex Ils peuvent être envoyés à partir de l'hôtel, mais tout comme le téléphone, il vous seront facturés au tarif de pointe (mais le service en vaut la peine). Les cabines des bureaux de poste doivent souvent être réservées 24 heures à l'avance pour des appels internationaux. Vous trouverez ci-après les codes internationaux pour le téléphone/fax:

Alexandrie: 203	**Les Oasis:** 20 88
Assouan/Abou Simbel: 20 97	**Port Saïd:** 20 66
Le Caire: 202	**Mer Rouge:** 20 65
Ismaïlia: 20 64	**Ville de Suez/Sinaï:** 20 62
Louxor: 20 95	

POURBOIRE (Voir aussi BAKCHICH)

Les porteurs, les chasseurs, les ouvreuses au cinéma et au théâtre, parmi d'autres, s'attendent à un petit pourboire. Voici quelques suggestions:

Porteur, par bagage	1LE
Femme de chambre, par semaine	10LE
Garçon de café	10%
Serveur de restaurant	3-5%
Préposé aux toilettes	50pt
Chauffeur de taxi	1LE
Guide	10%
Guide (de croisière), la semaine	20LE
Batelier (felouque), par passager	1LE

R

RECLAMATIONS

A l'hôtel, au restaurant ou dans un magasin, on demandera à parler au directeur ou au propiétaire; exposer calmement et courtoisement son grief, c'est déjà être quasiment tiré d'affaire. En cas de litige grave, sollicitez l'assistance des autorités en matière de tourisme et, surtout, de la police touristique (voir OFFICES DU TOURISME et POLICE).

RELIGION

L'Egypte est de religion musulmane avec une petite communauté chrétienne (principalement copte). Des services catholiques et protestants sont donnés au Caire, à Louxor et à Assouan. Il y a aussi des synagogues au Caire et à Alexandrie (contactez l'Ambassade d'Israël, tél. 361 0545). Les services religieux du dimanche sont publiés dans la presse locale du samedi (*Egyptian Gazette* appelée *Egyptian Mail* le samedi, ou le mensuel *Cairo Today*).

RESTAURANTS (Voir aussi RESTAURANTS RECOMMANDES et LES PLAISIRS DE LA TABLE)

Il est possible de dîner sur le Nil. Une cuisine égyptienne et européenne est servie aux heures des repas dans une ambiance musicale. Les bateaux ne portant pas la mention de «restaurant de croisière» restent amarrés.

Le Caire

Alf Laila Cruising Restaurant: Corniche El-Nil, Garden City; tél. 354 0417

Nile Pharaon: 138, rue du Nil, Guizèh; tél. 570 1000

Scarabee Cruising Restaurant: Corniche El-Nil (en face du Shepheard's Hotel); tél. 355 4481

Sunset: 33 EL-Nil, Guizèh (derrière l'ambassade de France); tél. 729 261

Egypte

Louxor

Les vaisseaux-hôtels servent un dîner en allant de Louxor à Karnak, ou un déjeuner en remontant vers le temple de Dendérah, au nord.

Le Lotus: Novotel Evasion, rue Khaled Ibn El-Walid; tél. 580 925

M. S. Africa: Mövenpick Jolie Ville, île Crocodile; tél. 374 855

Meri Ra: Sheraton Louxor, route El-Awameya; tél. 374 955

S

SANTE et SOINS MEDICAUX (Voir aussi DOUANE ET FORMALITES D'ENTREE et URGENCES)

Renseignez-vous avant le départ auprès de votre assureur pour savoir s'il est possible de contracter une assurance maladie qui couvre les soins médicaux prodigués en Egypte. Vous emporterez par précaution (sur avis médical) un médicament contre les troubles intestinaux et quelques remèdes simples susceptibles de combattre rapidement quantité d'affections mineures. De l'eau minérale naturelle est vendue en bouteille partout en Egypte. Buvez-en pour éviter les dérangements intestinaux ainsi que la déshydratation, même si vous n'avez pas particulièrement soif. Le soleil est aussi un danger permanent. Il vous faudrait par ailleurs une bombe insecticide, efficace contre les mouches et les moustiques: de tels produits sont vendus sur place et sont plus efficaces que ceux importés. La malaria n'existe plus dans les zones touristiques, mais cette maladie peut quelquefois se propager dans le delta du Nil ou dans l'extrême Sud. Il est de ce fait conseillé de consulter un médecin avant le départ. Les voyageurs se dirigeant vers la région du Fayoum se doivent de prendre les tablettes préventives de la malaria.

Les eaux du Nil sont contaminées par les larves de la bilharzie, ver parasite du système veineux. Ne nagez donc pas et ne marchez pas pieds nus dans le fleuve.

Pharmacies (*agzahhána*) Elles sont signalées par une enseigne représentant un croissant bleu renfermant la croix verte ou le caducée (serpent). De nombreuses pharmacies restent ouvertes sans interruption dans la journée et certaines sont ouvertes 24 heures sur 24. Il se peut que votre médicament habituel porte un autre nom en Egypte; veuillez consulter le médecin de l'hôtel. Voici l'adresse de quelques grandes pharmacies cairotes:

Zarif, place Talaat Harb; tél. 393 6347

Esaaf (ouvert 24h/24), 3, rue du 26 Juillet; tél. 743 369

Hôpital: hôpital Anglo-américain, derrière la Tour du Caire, Zohor-reya, Zamalek; tél. 340 6162/340 6165.

Vaccinations Vérifiez avec votre agent de voyages si une région spécifique en Egypte exige un certificat international de vaccination.

J'ai besoin d'un médecin/	**aïez' doktór/**
d'un dentiste	**doktór asnán**

TAXIS

Au Caire comme à Alexandrie, certains de ces véhicules sont équipés d'un compteur, mais il est fréquent que le chauffeur ne le fasse pas fonctionner, alléguant généralement qu'il est en panne. Pour éviter les mauvaises surprises, il est impératif de se mettre d'accord au préalable sur le prix de la course. Il importe de savoir indiquer son lieu de destination en arabe car peu de chauffeurs comprennent l'anglais ou le français (demandez à la réception de l'hôtel de vous l'écrire en arabe). Les stations sont généralement situées à proximité des grands hôtels et des centres d'intérêt touristique (et bien sûr à l'aéroport), mais on peut aussi héler un taxi au passage. A chaque station, un officier de la police touristique est présent pour enregistrer le numéro de chaque taxi, son heure de départ et sa destination.

Il existe dans la plupart des villes, un barème de prix établi par les autorités, mais il est parfois difficile d'en comprendre le principe. Il est donc recommandé de négocier le prix avec le chauffeur jusqu'à ce que vous puissiez obtenir une liste des tarifs auprès de l'office du tourisme (voir p. 119).

Taxis collectifs Dans chaque ville, petite ou grande, on trouve de tels taxis, spécialisés dans les trajets intervilles. Les prix sont fixes et peu élevés, les voitures ne partant qu'une fois pleines. Le contrôle des prix est sévère, aussi les chauffeurs respectent-ils généralement les tarifs imposés (en outre, ils n'attendent aucun pourboire). Il n'est généralement pas possible d'entreprendre un long voyage après 20h. Au Caire, il existe plusieurs stations de taxis collectifs. Elles sont situées à proximité de la gare principale ou des gares routières. Les tarifs sont généralement plus élevés que ceux de l'autobus, mais moins chers que le train. Si le prix pour les sept places est raisonnable, vous pouvez décider d'acheter les places restantes afin de pouvoir partir plus vite. Ce système officiel de taxis collectifs n'est pas à confondre avec la pratique sans cesse croissante qui consiste à partager un taxi ordinaire avec d'autres personnes allant dans la même direction au centre-ville. Cette formule n'est pas entièrement légale, mais très pratique.

Taxi!	**taksi**
Combien coûte le trajet pour…?	**bekám li…**
Je voudrais aller à…	**khódni li…**

TOILETTES *(toualét)*

Comme partout, les grands musées et les aéroports sont pourvus de toilettes publiques. Il est possible d'utiliser les commodités des grands hôtels; si l'on veut utiliser celles d'un café ou d'un restaurant, il est d'usage de commander une boisson chaude ou fraîche (en bouteille). Il est également habituel de donner un petit pourboire au préposé. Les toilettes sont en général signalées par un symbole (un homme et une femme). Il peut arriver que le préposé vous propose de monter la garde pour vous.

Où sont les toilettes?	**faï'n al toualét**

TRANSPORTS

Autobus Au Caire, les autobus sont bourrés à craquer. Il est donc préférable d'emprunter le Bus du Nil si vous allez du centre-ville en direction du Vieux-Caire et des églises coptes. L'embarquement se fait sur la rive opposée à la tour de la Télévision. Le bus vous dépose à 5min à pied du Vieux-Caire. Le trajet de 40min vous offre un peu de répit, oubliant le bruit et vous arrêtant environ cinq fois pour débarquer les passagers.

Métro Le réseau souterrain se développe. Rapide, propre et efficace, c'est une bonne alternative pour aller de la place Tahrir à la station Mar Girgis (Vieux-Caire et Musée copte).

Trains Il existe de fréquents départs journaliers entre Le Caire et Alexandrie. Des trains de nuit comportant des wagons-lits et un wagon-restaurant climatisés desservent l'axe de la vallée du Nil (Le Caire, Minièh, Assiout, Louxor, Assouan). Les voitures de première classe sont confortables, celles de seconde acceptables. En outre, un train touristique de luxe circule sur la ligne Le Caire–Assouan. Le tarif élevé inclut les repas et les couchettes. Réservez.

Lignes aériennes intérieures La compagnie EgyptAir dispose d'appareils modernes et confortables, les réservations et les reconfirmations sont indispensables. Certains vols ne sont pas journaliers, aussi vérifiez avant votre départ. Les vols relient Le Caire, Louxor, Assouan, Abou Simbel, la Nouvelle Vallée (les oasis du désert occidental), Alexandrie et Mersa Matruh sur la Méditerranée, Hourghada sur la mer Rouge (liaison au Mont Sinaï) et Sharm el-Cheikh.

Voitures avec chauffeur Les limousines constituent au Caire un moyen de transport confortable et fiable. Ayez soin de convenir du prix de la course à l'avance.

Calèches Les tarifs de ces véhicules attelés au charme désuet que l'on peut voir à Louxor, Assouan et un peu partout dans la vallée du Nil, sont établis par le ministère du Tourisme (voir p. 1119). Consultez leur liste avant d'accepter une promenade: vous pourriez avoir quelque mauvaise surprise. Il y a encore des calèches au Caire, si vous pouvez supporter la fumée des voitures!

D'où part le bus pour…   **fayn al otobís illi ráyih…**

URGENCES

Si le réceptionnaire de votre hôtel s'est absenté ou si vous ne parvenez pas à joindre la police touristique **(126),** appelez:

Police-secours	**122**
Ambulance	**124**
Feu	**125**

Chaque hôpital a un service d'ambulance, mais la densité du trafic est telle que ce service peut s'en trouver ralenti.

VOLS et DELITS (voir aussi POLICE)

Si le taux de criminalité est faible en Egypte, le vol existe comme partout ailleurs. Méfiez-vous des pickpockets dans les souks et les marchés, dans les bus et les trains; fermez vos bagages à clé avant de les remettre aux porteurs, à la gare ou à l'aéroport; ne laissez traîner aucun objet de valeur dans votre chambre d'hôtel. En cas de vol, la police touristique fera, à n'en pas douter, tout son possible pour vous aider.

VOYAGEURS HANDICAPES

L'accès aux sites et monuments historiques est très difficile. Les voyages ETAMS, une compagnie égyptienne offrant tourisme et services médicaux, organisent des excursions en taxi et autobus spécialement à l'attention des personnes handicapées. Contactez: ETAMS, 13, Sharia Qasr El-Nil, Le Caire; tél. 575 4721. Les stations balnéaires et hôtels modernes de la Méditerranée, de la mer Rouge et du Sinaï sont conformes aux normes internationales.

Hôtels recommandés

Nous avons classé, en trois catégories de prix, les hôtels des principales villes d'Egypte. Les prix varient selon la saison, les agences de voyages et les fluctuations erratiques de l'inflation. Pour vos réservations, vous trouverez les numéros de téléphone et parfois de fax. (Pour les codes internationaux, voir p.122)

Sauf indication contraire, les hôtels répertoriés offrent de bonnes conditions d'hygiène et de confort, la majorité d'entre eux ayant l'air conditionné (à l'exception des chambres à très bas prix). Les tarifs sont habituellement affichés en dollars américains (\$). (Si vous envisagez une croisière sur le Nil, vous trouverez une liste d'hôtels flottants page 110). L'ordre de prix ci-dessous correspond à une chambre double avec salle de bains.

✿	moins de \$40
✿✿	de \$40 à \$80
✿✿✿	plus de \$80

LE CAIRE

Atlas Zamalek ✿✿✿ *20, rue Gam'at al Dowal al Arabia, Mohandessin; Tél. 346 4175; fax 347 6938.* Petit hôtel confortable, dans un quartier chic, populaire auprès de la bourgeoisie du Moyen-Orient. Night-club réputé: le Tamango. 74 chambres.

Cairo Marriott Hotel ✿✿✿ *Rue Saraya el-Gezira, Zamalek; Tél. 340 8888; fax 340 6667.* Construit sur l'île de Guézira, en 1869, par le khédive Ismaïl, afin de célébrer l'ouverture du canal de Suez, le palais a été récemment rénové. Piscine, jardins aménagés, courts de tennis, boutiques, restaurant en terrasse, casino, night-club. 1147 chambres et appartements.

Cairo Sheraton Hotel ✿✿✿ *Place Galaa, Dokki; Tél. 336 9700; fax 336 4601/02.* Tours jumelées sur la rive occidentale du Nil. Ambiance amicale, piscine, casino, night-club oriental, restaurant donnant sur les pyramides, centre d'affaires. 660 chambres.

Carlton ✪ *21, rue du 26 Juillet, Ezbekiya; Tél. 575 5022; fax 575 5323*. Hôtel modeste, portant l'empreinte et les charmes du temps, en plein centre-ville. 60 chambres.

Guézira Sheraton✪✪✪ *Ile de Guézira; Tél. 341 1333; fax 341 3640*. Tour circulaire dominant de ses 27 étages l'extrémité sud de l'île de Guézira, sur le Nil. Vue splendide sur la ville et le fleuve. Restaurants au bord de l'eau, piscine, casino, et centre d'affaires de premier ordre. 520 chambres.

Grand Hotel ✪ *17, rue du 26 Juillet, Ezbekiya; Tél. 575 7700; fax 575 7593*. Situé au centre-ville, cet hôtel accueillant possède de grandes chambres avec balcons. Ameublement traditionnel. 97 chambres.

Heliopolis Mövenpick ✪✪✪ *Route de l'aéroport, Heliopolis; Tél. 247 0077; fax 418 0761*. A proximité de l'aéroport, mais les chambres sont bien insonorisées. Excellent centre d'affaires; cuisines européenne et égyptienne, piscine, boutiques et discothèque. 412 chambres.

Mena House Oberoi ✪✪✪ *rue des Pyramides, Guizèh; Tél. 383 3222; fax 383 7777*. Construit en 1869 à proximité des pyramides, cet hôtel possédant plus de 16 hectares de jardins a été rénové et transformé, l'ancienne bâtisse ayant conservé tout son charme d'antan. Casino, restaurant indien, piscine, tennis, golf, équitation, centre d'affaires, à 20 minutes à pied du centre-ville. 520 chambres.

Le Méridien ✪✪✪ *Corniche El-Nil, Garden City; Tél. 362 1717; fax 362 1927*. Cet hôtel, situé à l'extrémité nord de l'île de Rodah, offre une vue superbe sur le Nil. Piscine, jacuzzi, restaurant français, bon centre d'affaires. 275 chambres.

Nil Hilton ❂❂❂ *Place Tahrir; Tél. 578 0444; fax 578 0475.* Une institution au Caire, à deux pas du Musée Egyptien. Chambres avec vue sur le Nil, piscine, casino, bon centre d'affaires, restaurant donnant sur les pyramides. 434 chambres.

Ramsès Hilton ❂❂❂ *1115, Corniche El-Nil, Maspero; Tél. 575 8000; fax 575 7152.* Tour de 36 étages avec belle vue sur le Nil, séparée du centre-ville par le périphérique. Piscine, casino, centre d'affaires de premier ordre. 849 chambres.

Semiramis Intercontinental ❂❂❂ *Corniche El-Nil, Garden City; Tél. 355 7171; fax 356 3020.* Tour sise sur l'ancien quartier général de l'armée britannique durant la Deuxième Guerre mondiale. Belle vue du Nil. Piscine, cuisine française, discothèque, bon centre d'affaires et boutiques. 840 chambres.

Shepheard's Hotel ❂❂❂ *Corniche El-Nil, Garden City; Tél. 355 3900; fax 355 7284.* Construction moderne au bord du Nil, portant le nom du Britannique qui fut le premier propriétaire de l'hôtel. Belle vue sur l'île de Guézira. Piscine, centre d'affaires. 281 chambres.

Les Trois Pyramides ❂❂ *229, rue des Pyramides, Guizêh; Tél. 582 3700.* Hôtel moderne tout près des pyramides, 12 étages, piscine, jacuzzi. 230 chambres.

ALEXANDRIE ET LA MEDITERRANEE

Beau Site ❂❂ *Rue El-Shatee, Marsa Matruh; Tél. 932 066; fax 933 319.* Hôtel familial, situé en bord de mer, et disposant d'un bon restaurant. 103 chambres.

El-Alamein ❂❂ *Sidi Abdel Rahman, Centre El Dabaa, El-Alamein; Tél. 492 1228; fax 492 1232.* Charmant complexe hôtelier en bord de mer, situé près du champ de bataille du même nom. Piscine, jardins en bord de mer, tennis, panoplie de sports nautiques. 209 chambres/chalets.

Montazah Sheraton ✪✪✪ *Route de la Corniche, Montazah, Alexandrie; Tél. 548 0550; fax 540 1331.* Immense hôtel faisant face à l'ancien palais Farouk. Bonne cuisine (les fruits de mer sont la spécialité), piscine, centre d'affaires. 305 chambres.

Palestine Hotel ✪✪✪ *Montazah, Alexandrie; Tél. 547 3500; fax 547 3378.* Merveilleux jardins royaux donnant sur le port. Piscines, centre d'affaires. 208 chambres.

Pullman Cecil ✪✪ *16 place Saad Zaghloul, El-Ramleh, Alexandrie; Tél. 480 7055; fax 483 6401.* Hôtel traditionnel et accueillant situé en plein centre-ville. Casino, night-club, jacuzzi, café-terrasse et centre d'affaires. 86 chambres.

San Giovanni ✪ *205 rue El-Gueish, Stanley; Tél. 546 7774; fax 546 4408.* Hôtel soigné et agréable, en bord de mer, bonnes cuisines locale et européenne (spécialités de fruits de mer). 30 chambres.

LOUXOR

Club Med Akhetaton Village ✪✪ *Rue Khaled Ibn El-Walid; Tél. 580 850; fax 380 879.* Cet hôtel fait partie du groupe Club Méditerranée. Bon standing, comme il se doit: superbe piscine, disco et nombreux magasins. 144 chambres.

Etap Luxor ✪✪ *Corniche El-Nil; Tél. 580 944; fax 374 912.* Hôtel extrêmement bien situé au bord du Nil et à proximité du temple de Louxor, du musée et du marché. Piscine, discothèque. 306 chambres agréables.

Horus ✪ *Rue du temple de Karnak; Tél. 372 165; fax 373 447.* Petit hôtel confortable au nord-est de la ville, près du temple de Karnak. 25 chambres.

Isis ✪✪✪ *Rue Khaled Ibn el-Walid; Tél. 373 366; fax 372 923.* Immense hôtel donnant sur le Nil, situé au sud de la ville. Piscine, bon centre d'affaires. 500 chambres.

Louxor Hilton ✪✪✪ *Nouveau Karnak; Tél. 374 933; fax 376 571.* A proximité du temple de Karnak, beaux jardins sur la promenade du Nil. Piscine, casino, discothèque. 261 chambres.

Louxor Sheraton ✪✪✪ *Route El-Awameya; Tél. 374 955; fax 374 941.* Complexe situé dans de beaux jardins au sud de la ville. Restaurant: barbecue et grillades au bord de la piscine; centres commercial et d'affaires. 298 chambres.

Mövenpick Jolie Ville ✪✪✪ *Ile Crocodile; Tél. 374 855; fax 374 936.* Situé dans un jardin reposant, à 7 km du centre-ville. Piscine, tennis, voile, cuisine de qualité. 320 chambres.

Savoy ✪ *Rue El-Nil; Tél. 380 522; fax 814 721.* Hôtel sis au bord du Nil, modeste mais agréable. Bungalows avec air conditionné, 108 chambres.

Sofitel Winter Palace ✪✪ *Corniche El-Nil; Tél. 580 422; fax 374 087.* Bel hôtel traditionnel à proximité du temple de Louxor. Bar et terrasse donnant sur de beaux jardins exotiques; piscine. 370 chambres au total, incluant le New Winter Palace, annexe moderne et moins élégante.

ASSOUAN

Assouan Oberoi ✪✪✪ *Ile Eléphantine; Tél. 314 666; fax 313 538.* Tour immense au nord de l'île. Très belle vue sur les autres îles et sur la Cataracte. Excursions en bateaux. Piscine, 190 chambres, 38 suites et 16 villas.

Club Med Amoun Hotel ✪✪ *Ile Amoun; Tél. 480 444; fax 322 555.* Situé sur l'île Amoun, cet hôtel abrite le Club Méditerranée.

Ses jardins, fort agréables, font face à la Cataracte, et les felouques font la navette jusqu'au centre-ville. Piscine, 56 chambres.

Happi ✪ *Rue Abtal El-Tahrir, Assouan; Tél. 322 028.* En retrait par rapport au Nil, cet établissement est apprécié des randonneurs. 60 chambres, dont certaines avec vue sur le Nil.

Isis Island ✪✪✪ *Ile d'Isis; Tél. 317 400; fax 317 405.* Complexe hôtelier de 406 chambres confortables et luxueuses. Piscine, discothèque, jacuzzi, tennis, squash.

New Cataract ✪✪ *Rue Abtal El-Tahrir, Assouan; Tél. 316 000; fax 316 011.* Situé près du Sofitel Old Cataract (voir ci-dessous), ce bloc hôtelier de 144 chambres offre tout le confort moderne et dispose d'un bon centre d'affaires.

Sofitel Old Cataract ✪✪✪ *Rue Abtal El-Tahrir, Assouan; Tél. 316 000; fax 316 011.* Superbe monument britannique, d'inspiration mauresque. Rénové, il a cependant préservé son style colonial. Immense terrasse avec vue sur l'île Eléphantine. 131 chambres.

ABOU-SIMBEL

Nefertari ✪✪ *rue Ayioui Antoniou, Abou-Simbel; Tél. 316 403; fax 316 404.* Proche des temples, confortable, chambres climatisées, piscine.

LES OASIS

Hôtel Mobarez Tourist ✪ *2, rue El-Tharwa El-Khadraa, Oasis El-Dakhla; Tél. 941 524.* Situé au centre-ville, moderne, restaurant. A deux pas de l'autobus pour Farâfra. 27 chambres.

Oasis El-Kharga ✪ *El-Kharga, El-Wadi El-Guedid; Tél. 901 500/904 940.* Hôtel agréable, simple et moderne, avec un joli petit jardin. 30 chambres.

LA MER ROUGE

Magawish (centre de vacances) ✪✪ *Magawish, Hourghada; Tél. 442 620; fax 442 255.* Précédemment un hôtel du groupe Club Méditerranée, les 314 chambres/bungalows sont maintenant gérées par l'Etat. Piscine, plongée, pêche et autres sports nautiques disponibles, restaurant de fruits de mer, discothèque.

Menaville ✪✪ *Safâga; Tél. 451 761; fax 451 765.* Un large complexe hôtelier avec centre commercial, cuisines européenne et égyptienne, piscine, tennis, sports nautiques. 152 chambres.

Sheraton Hourghada ✪✪✪ *Hourghada; Tél. 442 000; fax 443 333.* Luxueux centre de vacances. Discothèque, bons restaurants, tous sports nautiques, piscine. 125 chambres.

Sonesta Beach Resort ✪✪✪ *Hourghada; Tél. 443 664; fax 443 657.* Attrayant village hôtelier. Pêche et plongée sous-marine. 132 chambres.

CANAL DE SUEZ

Helnan Port Saïd ✪✪ *Rue El-Corniche, Port Saïd; Tél. 320 890; fax 223 762.* Immense hôtel moderne en bord de mer. Bon centre d'affaires. 203 chambres.

Red Sea ✪ *13, rue Riad, Port Tawfik, Suez; Tél. 223 334; fax 227 761.* Calme, vue sur la mer Rouge et le port. Restaurant de fruits de mer, centre d'affaires. 81 chambres.

SINAI

Mövenpick Sharm el-Cheikh ✪✪✪ *Baie Na'ama, Sharm el-Cheikh; Tél. 600 100; fax 600 111.* Station balnéaire accueillante Bons restaurants, piscine, sports nautiques. 210 chambres.

Egypte

Novotel Dahab ✪✪ *Dahab; Tél. 640 301; fax 640 305.* Piscine, tennis, équitation, sports nautiques, discothèque, centre commercial. 141 chambres.

Novotel Sharm el-Cheikh ✪✪ *Sharm el-Cheikh; Tél. 600 178; fax 600 177.* Hôtel familial. Boutiques, tennis, piscine, sports nautiques, restaurant de fruits de mer. 152 chambres.

Salah El-Deen ✪✪✪ *Taba; Tél. 530 340, fax 530 343.* Hôtel situé juste en face de l'île Pharaon. 50 chambres, ravissants chalets, excellent restaurant de fruits de mer.

Taba Hilton ✪✪✪ *Taba plage, Taba; Tél. 530 300; fax 787 044.* Sur la frontière israélienne. Plage privée, piscine, tennis, restaurants, bon centre d'affaires. 326 chambres.

Village Daniela ✪ *Sainte-Catherine; Tél. 470 279; fax 360 7750.* Modeste et pratique pour visiter le monastère et le mont Ste-Catherine. Restaurant. 42 chambres.

Village Hilton Fairouz ✪✪✪ *Baie Na'ama, Sharm el-Cheikh; Tél. 600 136; fax 601 043.* Ensemble hôtelier; plongée sous-marine, pêche, tennis, squash, équitation; fruits de mer. 150 chambres.

Village Nuweiba ✪✪ *Nuweiba; Tél. 500 401; fax 500 407.* Simple, service chaleureux; restaurant et bar donnant sur la plage.

Village Ste-Catherine ✪✪✪ *Wadi El-Raha, Sainte-Catherine; Tél. 770 221.* Superbe construction en granit de couleur locale, vue sur le mont Sinaï, proche du monastère. Tennis, restaurant. 100 chalets.

Restaurants recommandés

Dans cette sélection, nous avons donné la priorité à la cuisine du Moyen-Orient; mais vous trouverez aussi quelques restaurants italiens, français, indiens et divers établissements orientaux.

A l'exception des villes du Caire et d'Alexandrie, la plupart des restaurants se trouvent dans les grands hôtels et servent aussi les non-résidents. La mention «TS» indique les établissements exigeant une tenue de soirée. Nous avons indiqué les restaurants ne servant pas d'alcool. Afin de vous donner une indication des prix (en dollars américains, $) pour un repas pour une personne, sans boisson, nous employons les symboles suivants:

✪	moins de $10
✪✪	de $10 à $15
✪✪✪	plus de $15

LE CAIRE

Abou Shakra ✪✪ *69, rue Kasr el-Aini; Tél. 364 8811* ou *364 8860.* Plats égyptiens traditionnels, *kababs* et *kofta*; pas d'alcool.

Abu Aly's ✪ *Nil Hilton, place Tahrir; Tél. 578 0444.* Café-terrasse servant des snacks épicés et le dessert *omali.*

Al Fanous ✪✪✪ *5 Wissa Wassef, tour Riyadh, Guizèh; Tél. 573 7592.* Excellente cuisine marocaine, dans cet établissement du complexe d'Oman; pas d'alcool.

Arabesque ✪✪✪ *6, rue Kasr el-Nil; Tél. 574 8677.* Cuisines égyptienne et européenne de haut vol. Goûtez la *molokheyya* (soupe) et le *bamia* (mouton).

Ba'albek ✪✪✪ *Sonestra Hotel, 4, rue Tayaran, Heliopolis; Tél. 262 8111.* Bonne cuisine libanaise, *mezzeh*, agréablement animé.

Egypte

Bawadi ✪✪ *10, rue Hussein Wassef, Dokki; Tél. 348 4878.* Vaste choix d'excellentes recettes libanaises et du Moyen-Orient.

Carvan ✪✪✪ *Shepheard's Hotel, Corniche el-Nil; Tél. 355 3800.* Bonnes cuisines chinoise, libanaise, indienne et italienne servie avec courtoisie dans ce charmant hôtel. Ouvert 24h sur 24.

Le Champollion *Hôtel Méridien, Corniche el-Nil, Garden City; Tél. 362 1717.* Restaurant français qui porte le nom de Jean-François Champollion, égyptologue français ayant trouvé la clé des inscriptions hiéroglyphiques. Haute cuisine, musique classique. TS.

Christo ✪✪ *10, rue des Pyramides, Guizèh; Tél. 383 3582.* Proche des pyramides, spécialités de fruits de mer en grillades ou à la mode égyptienne.

Ciao Italia ✪✪ *Guézira Sheraton, île de Guézira; Tél. 341 13 33.* Restaurant italien, au bord du Nil, situé dans un hôtel renommé. Ouvert en soirée uniquement.

Citadel Grill ✪✪✪ *Ramsès Hilton, 1115, Corniche el-Nil, Maspero; Tél. 575 8000.* Atmosphère de soirée élégante; steaks et fruits de mer. TS.

Dahan ✪✪ *Meshhet Al Hussein, Khan el-Khalili.* Bien connu des célébrités du monde politique et du spectacle et en plein milieu du marché; spécialités du Moyen-Orient, grillades, *kofta* et *kababs*.

Dragon ✪✪✪ *Guézira Sheraton, île de Guézira; Tél. 341 13 33.* Situé au bord du Nil, ce restaurant offre une cuisine chinoise traditionnelle. Ouvert en soirée uniquement.

El-Arze ✪✪✪ *Nil Hilton, place Tahrir; Tél. 578 0444.* Spécialités libanaises et grillades servies en jardin-terrasse.

El-Nil Rôtisserie ✪✪✪ *Nil Hilton, place Tahrir; Tél. 578 0444.* Cuisine internationale; concerts de musique classique. TS.

Falafel ✪✪✪ *Ramsès Hilton, 1115, Corniche el-Nil; Tél. 575 8000 ext 3171.* Cuisine du Moyen-Orient, spectacle intéressant. Ouvert en soirée.

Felfela Garden ✪ *15 rue Hoda Sharawi; Tél. 392 2833.* Charmant restaurant décoré à la façon d'une oasis, servant une cuisine égyptienne traditionnelle.

Flying Fish ✪✪ *166 rue el-Nil, Agouza; Tél. 349 3234.* Cuisine égyptienne de fruits de mer et de plats traditionnels.

Le Grill Guézira ✪✪✪ *Cairo Marriott, rue Saraya el-Gezira, Zamalek; Tél. 340 8888.* Excellente cuisine française. Concerts de musique classique.

The Grill ✪✪✪ *Semiramis Intercontinental, Corniche el-Nil, Garden City; Tél. 355 7171.* Cuisine française bien préparée, bifteks, agneau, excellents fruits de mer, musique d'ambiance. Ouvert en soirée uniquement.

Justine ✪✪✪ *4 rue Hassan Sabry, Zamalek; Tél. 341 2961.* Cuisine française. Populaire auprès de la clientèle bourgeoise du Caire. TS.

Kandahar ✪✪ *à côté du Zamalek Club, sur la place du Sphinx; Tél. 303 0615.* Excellent restaurant indien.

Kebabgy ✪✪ *Guézira Sheraton, île de Guézira; Tél. 341 13 33.* Un établissement populaire offrant un service d'hôtel et de restaurant. Délicieuse cuisine égyptienne (grillades, principalement). Musique arabe le soir.

Khan El-Khalili ✪✪ *5, rue El-Badistan, Khan el-Khalili; Tél. 590 3788.* Air climatisé rafraîchissant, pour une pause agréable; cuisine égyptienne traditionnelle. En-cas.

Madura ✪✪✪ *Cairo Sheraton, place El-Galaa, Dokki; Tél. 336 9700.* Savoureuse cuisine indonésienne, *nasi* et *bami goreng*. Ouvert en soirée uniquement.

Egypte

Mashrabia ✪✪✪ *4, rue Ahmed Nassim, Orman Garden, Guizèh; Tél. 348 2801.* Cuisine du Moyen-Orient de haute qualité.

Moghul ✪✪✪ *Oberoi Mena House, rue des Pyramides, Guizèh; Tél. 383 3222.* Le meilleur restaurant indien du Caire, excellente cuisine moghul, spectacle et musique indienne. TS.

Naniwa ✪✪✪ *Ramsès Hilton, 1115, Corniche el-Nil, Maspero; Tél. 74 44 00.* Cuisine japonaise très appréciée des gourmets.

Nubian Village ✪✪ *Hôtel Le Méridien, Corniche el-Nil, Garden City; Tél. 362 1717.* Excellentes recettes égyptiennes servies en terrasse au bord du Nil.

Paprika ✪✪ *1129, Corniche el-Nil; Tél. 749 447.* Restaurant au bord du Nil, réputé pour son *mezzeh*.

Peking ✪ *14, rue Saraya el-Ezbekiya; Tél. 591 2381.* Cuisine chinoise, au centre-ville.

Prestige ✪✪ *43, rue Gezirat El-Arab, Mohandessin; Tél. 347 03 83.* Cuisine italienne: viandes de veau, pizzas et pâtes les spécialités.

Roy's ✪✪ *Hôtel Marriott du Caire, rue Saraya el-Gezira, Zamalek; Tél. 340 88 88.* Restaurant mexicain et texan.

Sakura ✪✪✪ *5, Wissa Wassef, Tour Riyadh, Guizèh; Tél. 573 7592.* Grillades et autres spécialités japonaises. Excellent service.

Tandoori ✪✪ *11, rue Shehab, Mohandessin; Tél. 348 6301.* Bonne cuisine indienne: plats tandooris «barbecue» et végétariens. Décor simple et agréable. Pas d'alcool.

Tia Maria ✪ *32, rue Jeddah, Mohandessin; Tél. 335 3273.* Cuisine italienne, pâtes et pizzas. Très bon marché.

Zanouba ✪✪ *Hôtel Atlas Zamalek, 20, rue Gamaet el-Dowal Al Arabia, Mohandessin; Tél. 346 4175.* Grand choix de bonnes recettes égyptiennes et du Moyen-Orient, servies en toute simplicité.

ALEXANDRIE ET LA MEDITERRANEE

Andréa ✪ *Plage Agami, Sharia el-Asal; Tél. 433 3227.* Cuisines égyptienne et grecque.

Kadoura ✪ *74, rue du 26 Juillet, Alexandrie; Tél. 480 0967.* Fruits de mer à l'égyptienne.

Lord's Inn ✪✪✪ *12, rue Mohammed Ahmed Al Alili, Alexandrie; Tél. 586 5664.* Excellente cuisine allemande.

La Mamma ✪ *Hôtel Montazah Sheraton, route de la Corniche, Alexandrie; Tél. 548 0550.* Bonnes pizzas et autres recettes italiennes.

Le Plat d'Or ✪✪ *Hôtel Pullman Cecil, 16, place Saad Zaghloul, Alexandrie; Tél. 480 7055.* Cuisines française et italienne. Décor traditionnel.

Rang Mahal ✪✪✪ *Hôtel Pullman Cecil, 16, place Saad Zaghloul, Alexandrie; Tél. 480 7055.* La meilleure cuisine indienne à Alexandrie.

Samakmak ✪✪ *42 Kasr Ras el-Tin, Anfushi; Tél. 481 1560.* Bonnes grillades de fruits de mer.

San Giovanni ✪✪✪ *Hôtel San Giovanni, 205, rue el-Gueish, Alexandrie; Tél. 546 7773.* Excellent restaurant français donnant sur la Méditerranée.

Santa Lucia ✪✪✪ *40, Safia Zaghloul, Alexandrie; Tél. 482 03 32.* Cuisine européenne; décor élégant.

Taverne Al Ramel ✪ *1, place Saad Zaghloul, El-Ramleh, Alexandrie; Tél. 482 8189.* Cuisines grecque et égyptienne.

Zéphyrion ✪✪✪ *Aboukir; Tél. 560 1319.* En bord de mer; réputé pour la fraîcheur de ses fruits de mer.

LOUXOR

Class Restaurant ✪✪ *Centre commercial Class, rue Khaled Ibn el-Walid; Tél. 376 327.* Agréable restaurant familial, cuisines égyptienne et européenne.

El-Dawar ✪✪ *Hôtel Isis, rue Khaled Ibn el-Walid; Tél. 373 366.* Bonne cuisine égyptienne traditionnelle; décor rustique.

El-Karnak ✪✪✪ *Louxor Sheraton, route El-Awameya; Tél. 374 955.* Cuisine internationale à la carte, buffet de spécialités renouvelées chaque jour, comprenant des recettes égyptiennes et russes. Spécialités de fruits de mer.

Jolie Ville ✪✪✪ *Mövenpick Jolie Ville, île Crocodile; Tél. 374 855.* Excellent buffet européen; spécialités renouvelées chaque jour.

Khan El-Khalili ✪✪ *Hôtel Isis, rue Khaled Ibn El-Walid; Tél. 373 3366.* Nombreuses recettes égyptiennes et en provenance du Moyen-Orient.

La Mamma ✪✪ *Sheraton de Louxor, route el-Awameya; Tél. 374 955.* Cuisine italienne traditionnelle, servie au son de l'accordéon.

Mövenpick ✪✪✪ *Mövenpick Jolie Ville, île Crocodile; Tél. 374 855.* Cuisine traditionnelle suisse, atmosphère agréable. Ouvert en soirée uniquement.

Palm Restaurant ✪✪✪ *Louxor Hilton, Nouveau Karnak; Tél. 374 933.* Cuisines égyptienne et européenne. Buffet et menu à la carte.

La Terrazza ✪✪ *Hôtel Isis, rue Khaled Ibn el-Walid; Tél. 373 366.* Pâtes fraîches et pizzas. Service chaleureux.

White Corner ✪✪ *Hôtel Isis, rue Khaled Ibn el-Walid; Tél. 373 366.* Excellent restaurant de fruits de mer, d'où l'on a une vue magnifique sur le Nil et au-delà, sur la Vallée des Rois.

ASSOUAN

Le Club 1902 ✪✪✪ *Hôtel Sofitel New Cataract, rue Abtal el-Tahrir; Tél. 316 002.* Cuisines européenne et égyptienne. Belle salle de style mauresque.

Darna ✪✪✪ *Hôtel New Cataract, rue Abtal El-Tahrir; Tél. 316 000.* Cuisine de la Haute-Egypte. Décor nubien. Ouvert uniquement en soirée.

El-Nashwa ✪✪✪ *Assouan Oberoi, île Eléphantine; Tél. 314 666.* Cuisines égyptienne et européenne, soirée dansante.

La Trattoria ✪✪ *Hôtel Isis Assouan, Corniche el-Nil; Tél. 317 400.* Cuisine italienne, pâtes fraîches, pizzas.

LA MER ROUGE

Arlene's ✪✪ *Rue du Dr Saäd Korayem; Hourghada.* Cuisine américano-méxicaine, spécialités de steaks et fruits de mer.

Dolphin ✪✪ *Centre de vacances de Magawish, Hourghada; Tél. 442 620.* En bord de mer, fruits de mer.

Horizon Restaurant ✪✪✪ *Hôtel Sheraton Hourghada, Hourghada; Tél. 442 000.* Langouste de la mer Rouge.

SINAI

Casa Taba ✪✪✪ *Taba Hilton, Taba; Tél. 530 300.* Cuisine italienne; décor élégant.

Fairouz Fish Restaurant ✪✪✪ *Village Hilton Fairouz, baie de Na'ama, Sharm el-Cheikh; Tél. 600 136.* Restaurant de fruits de mer au bord de l'eau.

Marhaba ✪✪✪ *Taba Hilton, Taba; Tél. 530 300.* Cuisine du Moyen-Orient.

Salah El-Deen✪✪ *Hôtel Salah el-Deen, Taba; Tél. 530 340.* Excellent restaurant de fruits de mer, en bord de plage.

A PROPOS DE BERLITZ

En 1878, le professeur Maximilian Berlitz eut l'idée révolutionnaire de faire de l'apprentissage d'une langue une expérience agréable et à la portée de tous. Cent vingt ans plus tard, cette même approche opère toujours avec succès.

Pour des cours de langues, des services de traduction et d'interprétation, un enseignement multiculturel, des programmes d'études à l'étranger et tout un éventail de produits et services, rejoignez l'un des 350 centres Berlitz répartis dans plus de 40 pays. Consultez votre annuaire téléphonique pour connaître l'adresse du centre Berlitz le plus proche de chez vous.

Aidons le monde à communiquer